הגדה של פסח – ויגד יוסף

HAGGADAH FOR PASSOVER

WITH COMMENTARY

BASED ON THE SHIURIM OF

RABBI JOSEPH B. SOLOVEITCHIK

BY RABBI YOSEF ADLER

URIM PUBLICATIONS
Jerusalem • New York

Haggadah for Passover With Commentary
Based on the Shiurim of Rabbi Joseph B. Soloveitchik
by Rabbi Yosef Adler

Printed at Hemed Press, Israel. First Edition.
Layout design by Marek Lasman
ISBN 978-965-524-011-5

Urim Publications
P.O. Box 52287, Jerusalem 91521 Israel
Lambda Publishers Inc.
3709 13th Avenue Brooklyn, New York 11218 U.S.A.
Tel: 718-972-5449 Fax: 718-972-6307, mh@ejudaica.com

www.UrimPublications.com

The Order of the Haggadah

INTRODUCTION

The *baraita* in Tractate *Pesahim* states:

שואלים ודורשין בהלכות פסח שלושים יום קודם הפסח.

The Rav took this mandate seriously at his weekly shiur at Congregation Moriah, Broadway at 80th Street in New York City. Every Tuesday evening the Rav would deliver a Gemara shiur and a thought on the weekly parasha to the general public. Four weeks before Pesach he would shift his focus to the issues of Pesach. I had the privilege of attending those shiurim for thirteen years and continued with the shiurim on ענייני דיומא (current issues) that he gave to his regular class at Yeshiva University. These serve as the basis of the commentary to this Haggadah.

Long before it was fashionable to publish haggadot, kinot and machzorim with commentary and explanation, the Rav recognized his responsibility to focus not only on the conceptual development of the Talmud, but also to heighten the experiential dimension of all of his students by exploring and revealing the depth of our liturgy, including the siddur, haggadah and kinot. His penetrating insights into these sacred texts gave them new meaning, enabling readers to appreciate the uniqueness of the festivals or days of commemoration more fully.

Obviously, there is much more that the Rav said than appears in this Haggadah. In addition, I have tried not to repeat material about the issues of Pesah by the Rav that have already been published.

I thank הקב"ה for granting me the privilege of listening to and learning from the Rav. His teaching and hashkafa have helped steer me in my personal life and have guided me professionally in the rabbinate at Congregation Rinat Yisrael in Teaneck, New Jersey, and in over thirty years in yeshiva high-school education. I thank my parents, David and Sonia Adler, for introducing me to the Rav during my sophomore year of high school, when I sat on a radiator at an overcrowded Lido Beach hotel to hear him for the first time as he addressed the Mizrachi Convention and delivered, in Yiddish, what was to become one of the פיר דרשות. (These are the four derashot that were delivered in Yiddish at the Mizrachi conventions. They were later translated into Hebrew and titled Hamesh Derashot, since another was added.)

I dedicate this Haggadah to my wife, Sheryl, whose encouragement and support of my efforts and care and devotion to our children and grandchildren have enabled me to reach this point.

Y.A.

בדיקת חמץ

אור לי״ד בניסן (וכשחל פסח בשבת – אור לי״ג) בודקים את החמץ לאור הנר.

לפני הבדיקה מברכים:

בָּרוּךְ אַתָּה יְיָ, אֱלֹהֵינוּ מֶלֶךְ הָעוֹלָם, אֲשֶׁר קִדְּשָׁנוּ בְּמִצְוֹתָיו, וְצִוָּנוּ עַל בִּעוּר חָמֵץ:

ולאחר הבדיקה מבטלים כל חמץ שאינו ידוע לו ויאמר:

כָּל חֲמִירָא וַחֲמִיעָא דְּאִכָּא בִּרְשׁוּתִי דְּלָא חֲמִתֵּהּ וּדְלָא בִעַרְתֵּהּ וּדְלָא יְדַעְנָא לֵהּ, לִבָּטֵל וְלֶהֱוֵי הֶפְקֵר כְּעַפְרָא דְאַרְעָא.

ביעור חמץ

ביום ארבעה עשר שחרית שורפים את החמץ. אחרי שריפת החמץ קודם שעה ששית יבטל את החמץ בלבו ויאמר:

כָּל חֲמִירָא וַחֲמִיעָא דְּאִכָּא בִרְשׁוּתִי דַּחֲזִיתֵהּ וּדְלָא חֲזִיתֵהּ, דַּחֲמִתֵּהּ וּדְלָא חֲמִתֵּהּ, דְּבִעַרְתֵּהּ וּדְלָא בִעַרְתֵּהּ, לִבָּטֵל וְלֶהֱוֵי הֶפְקֵר כְּעַפְרָא דְאַרְעָא.

מי שאינו יודע ארמית יאמר בלשון שהוא מבין.

SEARCH FOR CHAMETZ

The search for chametz begins upon nightfall of the fourteenth day of Nissan. We must search all areas where chametz may have been brought during the course of the year, even if a thorough cleaning was done before Passover. The search should not be interrupted until its completion. If the Seder falls on Saturday night, the search is made on Thursday night. There is a custom to distribute ten pieces of chametz through the house prior to the search. Care should be taken to note the locations of these hidden pieces.

The following blessing is recited before the search for chametz:

Blessed are You, Hashem, our God, King of the universe, Who has sanctified us with His commandments and has commanded us to remove all chametz from our possession.

After the search, one should wrap the chametz and put it in a safe place. Then, the following declaration is made. (The declaration must be understood in order to take effect. Any chametz that you still want to use is not included in the declaration.

All leaven that is in my possession which I have not seen, have not removed and do not know about, should be as if it does not exist and should become ownerless, like the dust of the earth.

BURNING THE CHAMETZ

On the morning after the search, before ten o'clock, we burn all existing chametz. The meaning of this declaration must be understood. If the Seder falls on Saturday night, this declaration is made on Shabbat morning; however, the burning takes place on Friday morning. Any chametz remaining from the Shabbat morning meal is to be flushed down the drain. After burning (or on Shabbat, flushing) the following declaration is made:

All leaven that is in my possession, whether I have seen it or not, which I have removed or not, should be as if it does not exist and should become ownerless, like the dust of the earth.

עירוב תבשילין

בחוץ לארץ, כשחל ערב פסח ביום רביעי, יש לעשות עירוב תבשילין.
לוקחים תבשיל אחד ומצה אחת ומברכים:

בָּרוּךְ אַתָּה יְיָ, אֱלֹהֵינוּ מֶלֶךְ הָעוֹלָם, אֲשֶׁר קִדְּשָׁנוּ בְּמִצְוֹתָיו,
וְצִוָּנוּ עַל מִצְוַת עֵרוּב:

ואומרים:

בַּהֲדֵין עֵרוּבָא יְהֵא שָׁרֵא לָנָא לַאֲפוּיֵי וּלְבַשּׁוּלֵי וּלְאַטְמוּנֵי
וּלְאַדְלוּקֵי שְׁרָגָא וּלְתַקָּנָא וּלְמֶעְבַּד כָּל צָרְכָנָא, מִיּוֹמָא טָבָא
לְשַׁבַּתָּא לָנוּ וּלְכָל יִשְׂרָאֵל הַדָּרִים בָּעִיר הַזֹּאת.

הדלקת נרות

מברכים ומדליקים את הנרות.
כשחל יום־טוב בשבת, מדליקים תחילה את הנרות, ואחר מברכים.

בָּרוּךְ אַתָּה יְיָ, אֱלֹהֵינוּ מֶלֶךְ הָעוֹלָם, אֲשֶׁר קִדְּשָׁנוּ בְּמִצְוֹתָיו
וְצִוָּנוּ לְהַדְלִיק נֵר שֶׁל (בשבת: שַׁבָּת וְשֶׁל) יוֹם טוֹב:

יש נוהגין לברך:

בָּרוּךְ אַתָּה יְיָ, אֱלֹהֵינוּ מֶלֶךְ הָעוֹלָם, שֶׁהֶחֱיָנוּ וְקִיְּמָנוּ וְהִגִּיעָנוּ
לַזְּמַן הַזֶּה:

EIRUV TAVSHILIN

When Passover falls on Thursday, an eiruv tavshilin must be made on Wednesday for it to be permissible to ook on Yom Tov for Shabbat. The eiruv indicates that preparations for Shabbat have begun prior to Yom Tov. The head of the household takes some matzah and any cooked food and sets them aside until Shabbat, to be used on Shabbat. Then the following is recited:

Blessed are You, Hashem, our God, King of the universe, Who has sanctified us with His commandments and commanded us to observe the mitzvah of eiruv.

By means of this eiruv it shall be permitted to bake, cook, keep food warm, kindle flame and make all necessary preparations on Yom Tov for Shabbat for ourselves or for all Jews who live in this city.

CANDLE LIGHTING

The blessing is recited and then the candles are lit. (When Yom Tov falls on Shabbat, first we light the candles, then we recite the blessing with the words in parentheses added.)

Blessed are You, Hashem, our God, King of the universe, Who has sanctified us with His commandments and commanded us to kindle the light (of Shabbat and) of Yom Tov.

Blessed are You, Hashem, our God, King of the universe, Who has kept us alive, sustained us, and enabled us to reach this season.

Seder

Rambam begins Hilchot Chametz u-Matzah as follows:

סדר עשיית מצות אלו בליל חמשה עשר כך הוא.

Rambam employs the word seder (סדר) in three locations: 1) Here, in the context of Seder; 2) סדר תפילת הציבור כך הוא – describing daily communal prayer (Hilchot Tefillah 9:1) and 3) in the heading to Seder Avodat Yom ha-Kippurim: שיעשה עבודת יום הכפורים כולו על הסדר. In each case the seder – order – is significant. In davening, the recitation of kriat Shema and its berachot must precede Shemoneh Esreh. On Yom Kippur, any slight change in the order of the Avodah could have led to the death of the Kohen Gadol. On Pesach night it would perhaps be more logical to eat the halachic meal of Pesach, matzah and maror prior to reciting the Haggadah so that the questions of the Mah Nishtanah would emerge from actual experience. However, the author of the Haggadah, citing Rabban Gamliel in BT Pesachim 116a, states:

"כל שלא אמר שלשה דברים אלו בפסח לא יצא ידי חובתן."

Most Rishonim believe that Rabban Gamliel is referring to the obligation of sippur yetziat Mitzrayim (telling the story of the Exodus), that these three paragraphs have been established as the bare minimum recitation to fulfill the mitzvah of

והגדת לבנך

Ve-higadeta le-vinkha, "and you shall tell your children" (Shemot 13:8). Ramban (מלחמות ריש ברכות דף ב' בדפי הרי"ף) interprets this as the obligation to eat pesach, matzah and maror. Unless one explains the significance and symbolism of the items required to be eaten prior to eating them, one has not fulfilled the mitzvah of eating pesach, matzah and maror. Consequently, the order is significant. One must recite the Haggadah and then eat pesach, matzah and maror. Switching the order would preclude one from fulfilling the mitzvah of eating these three important items correctly.

This idea, that eating and explaining the symbolism of the mitzvot achilah (pertaining to eating) are related, is also the explanation of the Mekhilta (Bo, Parsha 17) quoted in our Haggadah, regarding determining the time of the mitzvah of sippur yetziat Mitzrayim:

"בעבור זה, לא אמרתי אלא בשעה שיש מצה ומרור מונחים לפניך."

There are two dimensions to matzah and maror. On the one hand, they are

simply mitzvot of eating in order to fulfill the mitzvah of "בערב תאכלו מצות" and "על מצות ומרורים יאכלוהו". Second, they enable one to fulfill the mitzvah of telling the story of the Exodus through eating:

"בעבור זה לא אמרתי אלא בשעה שיש מצה ומרור מונחים לפניך"

– that one can only fulfill the mitzvah of sippur yetziat Mitzrayim when the obligation of eating matzah and maror are present.

The Seder Night סדר ליל פסח

סימני הסדר

קדש
מקדש על היין

ורחץ
נוטלים ידיים (בלא ברכה)
לפני אכילת הכרפס

כרפס
אוכלים ירק טבול במי מלח

יחץ
בוצעים את המצה האמצעית
לשניים ומצפינים את החלק הגדול
ל"אפיקומן"

מגיד
מספרים ביציאת מצרים

רחצה
נוטלים ידיים בברכה לאכילת מצה

מוציא
מברכים ברכת "המוציא"

מצה
מברכים "על אכילת מצה"

מרור
אוכלים כזית מרור

כורך
אוכלים מצה ומרור ביחד

שולחן עורך – סעודת החג

צפון
אוכלים את האפיקומן

ברך
מברכים ברכת המזון

הלל
אומרים את ההלל

נרצה
ירצה ה' פעלו ויתברך מן השמים

The Order of the Seder

Kadesh
Recite the Kiddush

Urchatz
Wash hands before eating karpas

Karpas
Eat a vegetable dipped in salt water

Yachatz
Break the middle matzah, and hide the larger half for the Afikoman

Maggid
Tell the story of Passover

Rachtzah
Wash hands for the meal

Motzi
Say the HaMotzi blessing

Matzah
Eat matzah

Maror
Eat bitter herbs

Korekh
Eat matzah and bitter herbs together

Shulchan Orekh
Eat the festive meal

Tzafun
Eat the Afikoman

Barekh
Say Grace After Meals

Hallel
Sing Hallel

Nirtzah
Conclude the Seder

קדש

מוזגים כוס ראשון ומקדש.

כשחל ליל פסח בשבת מתחילים כאן:

בלחש: וַיְהִי עֶרֶב וַיְהִי בֹקֶר

יוֹם הַשִּׁשִּׁי, וַיְכֻלּוּ הַשָּׁמַיִם וְהָאָרֶץ וְכָל־צְבָאָם: וַיְכַל אֱלֹהִים בַּיּוֹם הַשְּׁבִיעִי מְלַאכְתּוֹ אֲשֶׁר עָשָׂה, וַיִּשְׁבֹּת בַּיּוֹם הַשְּׁבִיעִי, מִכָּל־מְלַאכְתּוֹ אֲשֶׁר עָשָׂה: וַיְבָרֶךְ אֱלֹהִים אֶת־יוֹם הַשְּׁבִיעִי, וַיְקַדֵּשׁ אֹתוֹ, כִּי בוֹ שָׁבַת מִכָּל־מְלַאכְתּוֹ אֲשֶׁר בָּרָא אֱלֹהִים לַעֲשׂוֹת: (בראשית א, לא; ב, א–ג)

בשאר ימות השבוע מתחילים בברכה על היין:

סַבְרִי מָרָנָן וְרַבָּנָן וְרַבּוֹתַי

בָּרוּךְ אַתָּה יְיָ, אֱלֹהֵינוּ מֶלֶךְ הָעוֹלָם, בּוֹרֵא פְּרִי הַגָּפֶן:

בָּרוּךְ אַתָּה יְיָ, אֱלֹהֵינוּ מֶלֶךְ הָעוֹלָם, אֲשֶׁר בָּחַר בָּנוּ מִכָּל־עָם, וְרוֹמְמָנוּ מִכָּל־לָשׁוֹן, וְקִדְּשָׁנוּ בְּמִצְוֹתָיו, וַתִּתֶּן־לָנוּ יְיָ אֱלֹהֵינוּ בְּאַהֲבָה (לשבת: שַׁבָּתוֹת לִמְנוּחָה וּ) מוֹעֲדִים לְשִׂמְחָה, חַגִּים וּזְמַנִּים לְשָׂשׂוֹן אֶת־יוֹם (לשבת: הַשַּׁבָּת הַזֶּה וְאֶת יוֹם) חַג הַמַּצּוֹת הַזֶּה. זְמַן חֵרוּתֵנוּ, (לשבת: בְּאַהֲבָה,) מִקְרָא קֹדֶשׁ, זֵכֶר לִיצִיאַת מִצְרָיִם. כִּי בָנוּ בָחַרְתָּ וְאוֹתָנוּ קִדַּשְׁתָּ מִכָּל הָעַמִּים. (לשבת: וְשַׁבָּת) וּמוֹעֲדֵי קָדְשֶׁךָ (לשבת: בְּאַהֲבָה וּבְרָצוֹן) בְּשִׂמְחָה וּבְשָׂשׂוֹן הִנְחַלְתָּנוּ:

בָּרוּךְ אַתָּה יְיָ, מְקַדֵּשׁ (לשבת: הַשַּׁבָּת וְ) יִשְׂרָאֵל וְהַזְּמַנִּים:

KADESH

The first cup is poured and the kiddush is recited.

When the festival begins on Friday night, begin here and include all passages in parentheses.

QUIETLY: And it was evening and it was morning,

the sixth day. And the heaven and the earth and all their hosts were completed. And on the seventh day, God finished His work which He had made, and He rested on the seventh day from all His work which He had made. And God blessed the seventh day and made it holy, for on it He rested from all His work which He, God, created to make.

(Bereishit 1:31, 2:1–3)

When the festival begins on a weekday, begin here:

With your permission, gentlemen, my masters and teachers:

Blessed are You, Lord, our God, King of the universe, who creates the fruit of the vine.

Blessed are You, Lord our God, King of the universe, who has chosen us from among all people, and exalted us above all tongues, and sanctified us through His commandments. You, Lord our God, have given us with love [Shabbatot for rest and] festivals for happiness, festivals and seasons for joy: [this Shabbat and this] Festival of Matzot, season of our Freedom [in love], a holy convocation in remembrance of the Exodus from Egypt. For You have chosen us and sanctified us from all the nations, and You gave us [the Shabbat and] Your holy festivals [with love and favor], in happiness and joy, as a heritage. Blessed are You, God, Who sanctifies [the Shabbat and] Israel and the festive seasons.

אם יום־טוב חל במוצאי שבת, אומרים כאן:

בָּרוּךְ אַתָּה יְיָ, אֱלֹהֵינוּ מֶלֶךְ הָעוֹלָם, בּוֹרֵא מְאוֹרֵי הָאֵשׁ:

בָּרוּךְ אַתָּה יְיָ, אֱלֹהֵינוּ מֶלֶךְ הָעוֹלָם, הַמַּבְדִּיל בֵּין קֹדֶשׁ לְחֹל בֵּין אוֹר לְחֹשֶׁךְ, בֵּין יִשְׂרָאֵל לָעַמִּים, בֵּין יוֹם הַשְּׁבִיעִי לְשֵׁשֶׁת יְמֵי הַמַּעֲשֶׂה. בֵּין קְדֻשַּׁת שַׁבָּת לִקְדֻשַּׁת יוֹם טוֹב הִבְדַּלְתָּ. וְאֶת־יוֹם הַשְּׁבִיעִי מִשֵּׁשֶׁת יְמֵי הַמַּעֲשֶׂה קִדַּשְׁתָּ. הִבְדַּלְתָּ וְקִדַּשְׁתָּ אֶת־עַמְּךָ יִשְׂרָאֵל בִּקְדֻשָּׁתֶךָ.
בָּרוּךְ אַתָּה יְיָ, הַמַּבְדִּיל בֵּין קֹדֶשׁ לְקֹדֶשׁ:

עד כאן במוצאי שבת.

ברכת "שהחיינו":

בָּרוּךְ אַתָּה יְיָ, אֱלֹהֵינוּ מֶלֶךְ הָעוֹלָם,
שֶׁהֶחֱיָנוּ וְקִיְּמָנוּ וְהִגִּיעָנוּ לַזְּמַן הַזֶּה:

שותים הכוס בהסיבת שמאל.

קדש

The first cup of wine tonight is recited upon Kiddush: מקדש ישראל והזמנים.

A primary sign of a free man is to make Kiddush – the ability to acknowledge that time is holy. It is for this reason that Rambam emphasized that we begin the Haggadah by stating that we left Egypt in great haste; as we were leaving, we learned to appreciate time. It is for this reason that the Shulchan Arukh (Orach Chaim 472:1) writes: ""צריך לקדש בליל הסדר משתחשך" – one must recite the Kiddush after dark. Taz explains that since one is obligated to drink the Kiddush wine as one of the Four Cups – a halacha unique to Pesach – the drinking must be done after nightfall, following the pattern of matzah and Korban Pesach, for which the Torah explicitly states: "And they shall eat the meat on that night" (Shemot 12:7). Apparently, according to the Taz the recitation of the Kiddush itself need not be after dark; only the drinking has to be after dark. However, in accordance with our idea of sanctifying time as it relates to free human beings, the recitation of the Kiddush itself represents our understanding of freedom. Consequently, one

If the festival falls on Saturday night, the following is recited:

Blessed are You, Lord our God, King of the universe,
Creator of lights of fire.

Blessed are You, Lord our God, King of the universe, Who distinguishes between holiness and secular, between light and darkness, between Israel and nations, between the seventh day and the six days of activity. You have made a distinction between the holiness of Shabbat and the holiness of Chag; and You have sanctified the seventh day above the six days of labor. You distinguished and sanctified Your nation, Israel, with Your holiness. Blessed are You, God, who distinguishes between holiness (of Shabbat) and holiness (of Chag).

On all nights conclude here:

Blessed are You, Lord our God, King of the universe, who has granted us life, sustained us, and enabled us to reach this season.

The cup of wine should be drunk while reclining on the left side, symbolizing freedom.

should read the Mechaber as stating simply that the entire Kiddush be recited after dark.

On another occasion, the Rav used this idea of highlighting the significance of time to explain a minhag we observe every month during Birkat ha–Chodesh, the Blessing of the New Moon. The original text of this monthly practice was the Rosh Chodesh itself. When it became evident that most people do not daven in shul during the week – a phenomenon still evident today – the announcement was shifted to the Shabbat preceding Rosh Chodesh.) The introductory paragraph beginning "Yehi ratzon" was taken from a prayer written by the third–century Amoraic scholar, Rav, which he used as his supplementary prayer to conclude Shemoneh Esreh every day:

"יהי רצון מלפניך ה׳ א־לוהינו שתתן לנו חיים ארוכים" (ברכות טז).

Later the phrase שתחדש עלינו את החדש הזה was inserted into Birkat ha-Chodesh. But what does the second paragraph, "Mi she-asah nissim," describing God as the One who delivered the Jews from Egypt, have to do with each

ורחץ

נוטלים את הידיים בלא ברכה.

כרפס

לוקח כרפס או פרי אדמה אחר, טובלים בחומץ או במי מלח ונותן למסובין, ומברכים:
ומכוונים לפטור את המרור שיאכלו אחר כך. ואוכלים ממנו פחות מכזית בלא הסיבה.

בָּרוּךְ אַתָּה יְיָ, אֱלֹהֵינוּ מֶלֶךְ הָעוֹלָם, בּוֹרֵא פְּרִי הָאֲדָמָה:

יחץ

בוצעים את המצה האמצעית לשניים ומצפינים את החלק הגדול לאפיקומן. את החלק השני יניח בין שתי המצות השלמות.

forthcoming month? As God was preparing the Jews to leave Egypt, he shared the laws of Korban Pesach with them. The laws of this sacrifice and the subsequent deliverance from Egypt are described in the book of Shemot, chapter 12. Yet the unit begins inexplicably with the mitzvah of sanctifying the new moon. As the Jews are about to experience freedom after two hundred and ten years of

URCHATZ

The hands are ritually washed without a blessing.

KARPAS

All participants take a piece of karpas (a vegetable other than maror), less than the size of an olive, dip it in salt water and eat it after reciting the following blessing. You should have in mind that this blessing includes the maror which is eaten later on in the Seder.

Blessed are You, Lord our God, King of the universe, who creates the fruit of the earth.

YACHATZ

Break the middle matzah into two, one piece larger than the other. The larger piece is set aside to serve as Afikoman. The smaller piece is put back, between the two matzot.

bondage, God tells them that the most drastic change in their lives will be that they must become conscious of time and they must use it wisely. This is essential to true redemption. So, too, every month we ask God to redeem us as well – "הוא יגאל אותנו בקרוב" – in order to enable us to make the coming month more productive, with greater commitment to Torah and gemilut chasadim (righteousness and good deeds).

מגיד

מגביהים הקערה כשהמצות מגולות ואומרים:

**הָא לַחְמָא עַנְיָא דִּי אֲכָלוּ אַבְהָתָנָא בְּאַרְעָא דְמִצְרָיִם.
כָּל דִּכְפִין יֵיתֵי וְיֵכוֹל כָּל דִּצְרִיךְ יֵיתֵי וְיִפְסַח.
הָשַׁתָּא הָכָא, לְשָׁנָה הַבָּאָה בְּאַרְעָא דְיִשְׂרָאֵל.
הָשַׁתָּא עַבְדֵי, לַשָּׁנָה הַבָּאָה בְּנֵי חוֹרִין:**

מכסים את המצות.

הא לחמא עניא

The questions from this paragraph are well known: 1. Why does the Haggadah open with the statement הא לחמא עניא, referring to matzah? 2. Why do we extend an invitation for people to join us – "כל דכפין ייתי ויכול"? This obligation is not unique to Pesach. It is applicable every day and certainly every Chag. Rambam writes: (הלכות יו"ט פו:יח)

כשהוא אוכל ושותה חייב להאכיל לגר ליתום ולאלמנה עם שאר עניים האמללים אבל מי שנועל דלתות חצרו ואוכל ושותה הוא ובניו ואשתו ואינו מאכיל ומשקה לעניים אמרי נפש אין זה שמחת מצוה אלא שמחת כרסו.

Feeding one's family while ignoring the poverty-stricken is not a simcha of a mitzvah but only a simcha of one's stomach. Furthermore, the night of the Seder is the one night of the year when no one should be in need of any provisions for the Seder as the Mishna states (פסחים צט):

"ואפילו עני לא יאכל עד שיסב ולא יפחתו לו מארבע כוסות של יין אפילו מן התמחוי"

everyone is to be provided with all the necessary provisions for the Seder. Why then the necessity to extend this informal invitation at the beginning of the Seder?

In addressing the second question, the Rav suggested that the Gemara in Pesachim 88 states: "כל מה שקנה עבד קנה רבו". Whatever a slave acquires is automatically transferred to his master. A slave lacks the capacity to acquire and

MAGGID

Raise the matzot and say:

This is the bread of affliction that our fathers ate in the land of Egypt.
Whoever is hungry, let him come and eat;
whoever is in need, let him come and celebrate the Pesach festival.
This year we are here; next year may we be in the land of Israel.
This year we are slaves; next year may we be free people.

possess anything personally. Now that we have reached the Festival of Freedom, an individual can believe that any of his personal possessions belong to him exclusively. However, we must realize that even though we escaped the bondage of Pharaoh, we are still slaves in the service of God, as it is written:

עבדים (ויקרא כה:נה) "כי לי בני ישראל"

In order to demonstrate this idea that we recognize that all our personal possessions truly belong to God, we symbolically suggest: "כל דכפין ייתי ויכל" – let anyone who is in need join and share our meal and the provisions I have accumulated, for this meal truly belongs to God and I have no personal ownership over them. It could even be seen as self-reflective, inviting, as it were, yourself to the meal, acknowledging that you are a guest of the Owner. (See הגדת שיח הגרי"ד, page 19, for a different application of this halacha.)

This idea can also address the first question, explaining why we emphasize at the very outset הא לחמא עניא, referring to matzah, describing it as the bread of the poor. Matzah actually has a dual symbolism.

Rabban Gamliel suggests later in the Haggadah:

מצה זו שאנו אוכלים – על שום מה? על שום שלא הספיק בצקם של אבותינו להחמיץ עד שנגלה עליהם הקדוש ברוך הוא וגאלם.

Matzah is a symbol of redemption because as the Jews were preparing to leave Egypt, they were in such a rush that their bread did not have a chance to rise. But matzah is also a commemoration of servitude, since the Jews ate matzah throughout their slavery in Egypt. As poor people, they never had the luxury (or leisure time) of allowing their bread to rise. Once again, we remind everyone that even though we observe the Festival of Freedom and may have accumulated enormous wealth, we eat the bread of the poor and recognize that we are still in servitude to God.

Rav Yoel bin Nun adds another idea. Matzah was the bread of all slaves and poor people throughout the region. Only the free and rich ate chametz, leavened bread. One could then ask why, in order to observe Pesach, the Torah does not legislate that we must eat chametz and prohibit the consumption of even a morsel of matzah. Why do we eat only matzah and remove all chametz products from our possession? To teach us that although we observe the Festival of Freedom, our ancestors did not attain true freedom until they reached Har Sinai and received the Torah. On the Yom Tov of Shavuot, zeman matan Torateinu, will we offer a special קרבן שתי הלחם that was made into chametz, whereas all other korbanot (sacrifices) remained unleavened (aside from 10 לחמי תודה). We eat chametz when we are truly free, on Shavuot. But until then, on Pesach, we continue to eat matzah – הא לחמא עניא די אכלו אבהתנא.

Rambam's text of this paragraph begins "בבהילו יצאנו ממצרים הא לחמא עניא", we left Egypt with great haste. This obviously is a reference to the verse (Devarim 16:3):

"כי בחיפזון יצאת ממצרים" ותרגום יונתן בן עוזיאל מתרגם ארי בבהילו נפקתא מארעא דמצרים."

The Rav asked: Why is the idea of chipazon – haste – so critical that according to Rambam it opens the Maggid section of the Haggadah? One of the laws governing the status of a slave is that he is exempt from mitzvot aseh she-ha-zeman geraman – time-bound positive commandments.

A slave is oblivious to time. The essential character of the organic world is the cycle of birth, life, and death. The experience of time has three aspects: retrospection – an ability to re-experience the past; exploration – anticipating things yet unborn, events not yet in existence, that are still in the future; and appreciation of the present moment as a possession granted by God. Without retrospection, there can be no sippur yetziat Mitzrayim. The Seder itself is

reliving the past. Without a historical experience, this type of time experience is lost. Memory is more than a storehouse; it is a reliving of what is remembered. In exploration, we move from reminiscing to anticipation. To live in time is to be committed to a great past and a promising future. This awareness also contains moral awareness, a readiness to mold a future which, in turn, suggests a freedom to make decisions, i.e., a moral commitment to intervene. The Haggadah starts with hindsight – עבדים היינו לפרעה – and concludes with foresight –

נשמת כל חי תברך את שמך, ה׳ א־לוהינו.

The above can only be achieved by those who value the present, the third aspect – namely, appreciation – prizing each moment as precious. In each fraction of a second one can realize or destroy visions. Halacha, too, is very time-conscious; the difference of one minute before or one minute after sunset can make the difference of the severest punishments for performing melacha on Shabbat or Yom Tov or for eating on Yom Kippur. One minute can determine whether we have fulfilled the mitzvah of kriat Shema or violated the prohibition of notar in ritual sacrifices. This time-awareness is a singular gift of free human beings, who can use it or abuse it, while to the slave it is meaningless. Free human beings who look at a watch want to slow time, while slaves could not care less because their time belongs not to them but to their master. Since they cannot manage their time they become insensitive to it. Slaves feel that day and night are the same. As the Torah states,

״בבקר תאמר מי יתן ערב ובערב תאמר מי יתן בקר״ (דברים כח:סז).

What was not done today will be done tomorrow. There is no great excitement about future opportunities, and for this reason, any time-bound mitzvah is not for slaves.

Maggid

The opening five paragraphs of the Haggadah neither elaborate upon nor provide any insights into the drama of the Exodus story. Rather, they formulate the obligation and definition of the mitzvah of sippur yetziat Mitzrayim. The opening sentence,

״עבדים היינו לפרעה במצרים ויוציאנו ה׳ א־לוהינו משם״,

encapsulates two hundred and ten years of Jewish history. We were slaves and God redeemed us. For this reason we are obligated to conduct a Seder and to relive

the drama of the Exodus. This obligation is incumbent upon everyone, including Torah scholars who may be aware of the entire story of yetziat Mitzrayim. The second paragraph, about the five Mishnaic scholars in Bnei Brak who deliberated through the night, supports the premise. The third paragraph, אמר להן ר׳ אלעזר בן עזריה, describes the scope of the mitzvah. This statement, a Mishnah in Tractate Berachot 12b, does not really touch upon the mitzvah unique to Pesach but rather upon the general obligation of remembering the Exodus from Egypt every day. Therefore, it is somewhat puzzling why it is included in the Haggadah at all.

The Rav cited an interesting Rambam that will explain this paragraph's connection to the Haggadah. Most Rishonim cite the pasuk

"והגדת לבנך ביום ההוא לאמר בעבור זה עשה ה׳ לי בצאתי ממצרים" (דברים יג:ח)

as the biblical source of the mitzvah of sippur yetziat Mitzrayim. However, Rambam in הלכות חמץ ומצה ז:א writes:

מצות עשה של תורה לספר בנסים ונפלאות שנעשו לאבותינו במצרים בליל חמשה עשר בניסן, שנאמר: זכור את היום הזה אשר יצאתם ממצרים (דברים יג:ג) כמו שנאמר זכור את יום השבת (שמות כ).

Why did Rambam cite this verse, and why is it necessary to offer the analogy כמו שנאמר זכור את יום השבת?

The word zachor is not the imperative form of the verb "to remember." Zechor is the technical imperative. We say in Avinu Malkeinu:

אבינו מלכנו, זכור כי עפר אנחנו.

Zachor denotes a state of constant awareness. We must remember Shabbat every day of the week. In the morning prayer, the daily Psalm is identified as יום ראשון בשבת, יום שני בשבת, and so on. The Gemara describes the practice of Shammai. Whenever he went shopping during the week and found a good piece of meat, he would save it for Shabbat. If he found a better one later in the week, he would eat the original one and save the better one for Shabbat. Once a week, on Friday night, one formally fulfills the obligation of remembering Shabbat by reciting the Kiddush. Rambam believes that the same pattern applies to Pesach as well. Throughout the year, one makes a brief reference to yetziat Mitzrayim in the context of kriat Shema. Once a year, on the fifteenth of Nissan, one is obligated to elaborate upon the events of yetziat Mitzrayim. This Mishnah, then, helps to define the scope of the mitzvah. It requires a brief reference every day and a formal and elaborate experience on the fifteenth of Nissan. It is for this reason that Rambam does not count the mitzvah of remembering the exodus from Egypt

as one of the 613 Mitzvot but apparently subsumes it in the mitzvah of sippur yetziat Mitzrayim. (For an alternate explanation, see:

שיעורים לאבא מארי בענין קריאת שמע וזכירת יציאת מצרים, 1 .vol.)

The fourth paragraph, begins:

ברוך שנתן תורה לעמו ישראל.

כנגד ארבעה בנים דברה תורה, defines the essence of the mitzvah, which is not to tell a story. To retell the story of Mitzrayim one could simply read the sections of Shemot, Va-era, Bo and Be-shalach and one would hear the entire story. For storytelling, one would not focus on different types of children. Everyone, whether wise, innocent or wicked, can appreciate a story. The mitzvah is to learn, study, and analyze the events surrounding Mitzrayim. The Haggadah is composed of Mishnayot, the derash of פרשת ארמי אבד אבי and a discussion of Hilchot Pesach. Essentially, reciting the haggadah is a mitzvah of Talmud Torah. Commenting on the phrase והיו מספרין ביציאת מצרים כל אותו הלילה, the הגהות מיימונית cites a Tosefta

חייב אדם לעסוק בהלכות פסח. (פי:ח)

In order to teach Torah properly, parents must be cognizant of the level of education of their children. It is for this reason that we recite a form of Birkat ha-Torah before we begin the telling:

"ברוך שנתן תורה לעמו ישראל". Typically the Birkot ha-Torah recited in the morning cover all Torah study throughout the day. (See תוספות ברכות דף יא: as to why היסח הדעת is not a factor with regard to Birkot ha-Torah). The only time one recites an additional Birkat ha-Torah is when one must learn something specific. On Parshat Bereshit, the Baal Kore cannot read Parshat Va-Yikra. On the second day of Rosh Hashana, he must read the episode of Akedat Yitzchak, not Parshat Yitro. On such occasions an additional Birkat ha-Torah is recited. On Pesach night, we must learn matters pertaining to Pesach. To fulfill the mitzvah tonight, we cannot study Kohelet or Bava Kamma or any other aspect of Torah. Our study must revolve around yetziat Mitzrayim. For this reason, we recite an additional Birkat ha-Torah.

מוזגים כוס שני ושואלים:

מַה נִּשְׁתַּנָּה הַלַּיְלָה הַזֶּה מִכָּל הַלֵּילוֹת?

שֶׁבְּכָל הַלֵּילוֹת אָנוּ אוֹכְלִין חָמֵץ וּמַצָּה.
הַלַּיְלָה הַזֶּה כֻּלּוֹ מַצָּה:
שֶׁבְּכָל הַלֵּילוֹת אָנוּ אוֹכְלִין שְׁאָר יְרָקוֹת.
הַלַּיְלָה הַזֶּה מָרוֹר:
שֶׁבְּכָל הַלֵּילוֹת אֵין אָנוּ מַטְבִּילִין אֲפִילוּ פַּעַם אֶחָת.
הַלַּיְלָה הַזֶּה שְׁתֵּי פְעָמִים:
שֶׁבְּכָל הַלֵּילוֹת אָנוּ אוֹכְלִין בֵּין יוֹשְׁבִין וּבֵין מְסֻבִּין.
הַלַּיְלָה הַזֶּה כֻּלָּנוּ מְסֻבִּין:

מגלים את המצות

עֲבָדִים הָיִינוּ לְפַרְעֹה בְּמִצְרָיִם. וַיּוֹצִיאֵנוּ יְיָ אֱלֹהֵינוּ מִשָּׁם, בְּיָד חֲזָקָה וּבִזְרוֹעַ נְטוּיָה, וְאִלּוּ לֹא הוֹצִיא הַקָּדוֹשׁ בָּרוּךְ הוּא אֶת־אֲבוֹתֵינוּ מִמִּצְרַיִם, הֲרֵי אָנוּ וּבָנֵינוּ וּבְנֵי בָנֵינוּ, מְשֻׁעְבָּדִים הָיִינוּ לְפַרְעֹה בְּמִצְרָיִם. וַאֲפִילוּ כֻּלָּנוּ חֲכָמִים, כֻּלָּנוּ נְבוֹנִים, כֻּלָּנוּ זְקֵנִים, כֻּלָּנוּ יוֹדְעִים אֶת־הַתּוֹרָה, מִצְוָה עָלֵינוּ לְסַפֵּר בִּיצִיאַת מִצְרָיִם.
וְכָל הַמַּרְבֶּה לְסַפֵּר בִּיצִיאַת מִצְרַיִם, הֲרֵי זֶה מְשֻׁבָּח:

"כל המרבה לספר ביציאת מצרים הרי זה משבח"

Rambam uses the phrase הרי זה משבח three times:

1. The Laws of Chametz and Matzah 7:1,
   commenting on the general mitzvah of sippur:
   "כל המאריך בדברים שאירעו ושהיו הרי זה משובח."

The matzot are uncovered, and the second cup is poured.

WHAT MAKES THIS NIGHT DIFFERENT FROM ALL OTHER NIGHTS?

On all other nights we eat chametz or matzah,
but on this night only matzah.
On all other nights we eat any kind of vegetable,
but on this night we eat maror.
On all nights we need not dip even once,
but on this night we do so twice!
On all other nights we eat sitting upright or reclining,
but on this night we all recline.

We were slaves to Pharaoh in Egypt, and the Lord, our God, took us out from there with a mighty hand and with an outstretched arm. If the Holy One Blessed be He had not taken our fathers out of Egypt, then we, our children and our children's children would still be enslaved to Pharaoh in Egypt. Even if all of us were wise, all of us understanding, all elders and versed in the knowledge of the Torah, we would still be obligated to discuss the Exodus from Egypt; and everyone who discusses the Exodus from Egypt at length is praiseworthy.

2. Ibid., 7:4, concerning ארמי אבד אבי:
"כל המוסיף ומאריך בדרש פרשה זו הרי זה משובח"
3. Ibid., 7:18, commenting on the requirement of reclining:
"ושאר אכילתו ושתייתו אם היסב הרי זה משובח"

These three phrases correspond to the four children mentioned at the seder. To the innocent child and the one who does not know how to ask, relating the story and unfolding drama of yetziat Mitzrayim is the way to inspire them. They do not possess the intellectual acumen or background to appreciate complex

מַעֲשֶׂה בְּרַבִּי אֱלִיעֶזֶר, וְרַבִּי יְהוֹשֻׁעַ, וְרַבִּי אֶלְעָזָר בֶּן־עֲזַרְיָה, וְרַבִּי עֲקִיבָא, וְרַבִּי טַרְפוֹן, שֶׁהָיוּ מְסֻבִּין בִּבְנֵי־בְרַק, וְהָיוּ מְסַפְּרִים בִּיצִיאַת מִצְרַיִם, כָּל־אוֹתוֹ הַלַּיְלָה, עַד שֶׁבָּאוּ תַלְמִידֵיהֶם וְאָמְרוּ לָהֶם: רַבּוֹתֵינוּ, הִגִּיעַ זְמַן קְרִיאַת שְׁמַע, שֶׁל שַׁחֲרִית:

אָמַר רַבִּי אֶלְעָזָר בֶּן־עֲזַרְיָה. הֲרֵי אֲנִי כְּבֶן שִׁבְעִים שָׁנָה, וְלֹא זָכִיתִי שֶׁתֵּאָמֵר יְצִיאַת מִצְרַיִם בַּלֵּילוֹת. עַד שֶׁדְּרָשָׁהּ בֶּן זוֹמָא. שֶׁנֶּאֱמַר (דברים טז, ג): לְמַעַן תִּזְכֹּר, אֶת יוֹם צֵאתְךָ מֵאֶרֶץ מִצְרַיִם, כֹּל יְמֵי חַיֶּיךָ. יְמֵי חַיֶּיךָ הַיָּמִים. כֹּל יְמֵי חַיֶּיךָ הַלֵּילוֹת. וַחֲכָמִים אוֹמְרִים: יְמֵי חַיֶּיךָ הָעוֹלָם הַזֶּה. כֹּל יְמֵי חַיֶּיךָ לְהָבִיא לִימוֹת הַמָּשִׁיחַ:

בָּרוּךְ הַמָּקוֹם. בָּרוּךְ הוּא.
בָּרוּךְ שֶׁנָּתַן תּוֹרָה לְעַמּוֹ יִשְׂרָאֵל. בָּרוּךְ הוּא.
כְּנֶגֶד אַרְבָּעָה בָנִים דִּבְּרָה תוֹרָה. אֶחָד חָכָם, וְאֶחָד רָשָׁע, וְאֶחָד תָּם, וְאֶחָד שֶׁאֵינוֹ יוֹדֵעַ לִשְׁאוֹל:

halachic discussion or detailed derash. To them, Rambam suggests "כל המאריך בדברים שאירעו ושהיו" – elaborate on the story of yetziat Mitzrayim. To the wise child, who can appreciate sophisticated learning, we suggest:

כל המוסיף ומאריך בדרש פרשה זו.

To the wicked one, who questions the value and meaning of our commitment to mitzvot, we respond that we fully comprehend mitzvot and do not see them as a burden. For this reason not only do we recline when are obligated to do so, for the four cups and the matzah, but

אם היסב בשאר אכילתו ושתייתו הרי זה משבח.

It happened that Rabbi Eliezer, Rabbi Yehoshua, Rabbi Elazar ben Azaryah, Rabbi Akiva and Rabbi Tarphon sat reclining [at a Seder] in Bnei Brak. They were discussing the Exodus from Egypt all that night, until their students came and told them: "Our Masters! The time has come to recite the morning Shema!"

Rabbi Elazar ben Azaryah said: "I am like a seventy-year-old man, yet I did not succeed in proving that the Exodus from Egypt must be mentioned at night – until Ben Zoma explained the verse (Devarim 16:3): 'In order that you may remember the day you left Egypt all the days of your life.' 'The days of your life' would mean only the days; the additional word 'all' indicates the inclusion of the nights!" The Sages, however, say that "the days of your life" would mean only the present world; the addition of "all" includes the days of Mashiach.

Blessed is God, blessed be He! Blessed is He who gave the Torah to His people Israel, blessed be He!
Concerning four sons, the Torah speaks: One is wise, one is wicked, one is simple and one does not know how to ask.

עבדים היינו לפרעה במצרים

The Rav would seek to understand: why the emphasis on Pharaoh? The Rav postulated that there are two slave systems: slaves owned by individuals, as in ancient Greece or the United States, and slaves owned by the state, as in Nazi Germany, China or the former Soviet Union, where the state is the absolute master. In Egypt, Jews were owned by the state, by Pharaoh, and not by individuals. The difference is significant. In private slavery, some kind of relationship exists between the slave and the master: sympathy, confidence, responsibility and trust, as evidenced between Yosef and Potiphar. It is a subordinated relationship. In corporate or state slavery, however, no personal relationship is imaginable, no friendship possible. It is a depersonalized prison where slaves are the inmates, identified by numbers. Egypt was like this. All kings were called Pharaoh – they were all the same, heads of a blank-faced corporate state.

המקום

The name Makom referring to God is used frequently in the Haggadah.

"ברוך המקום," "ועכשיו קרבנו המקום לעבודתו." "כמה מעלות טובות למקום עלינו"

Why is God identified as Makom and why is this name referred to so prominently in the Haggadah? The Gemara (Hagiga 13) says:

אמר רבא: כל מה שראה יחזקאל ראה ישעיהו. למה הדבר דומה? יחזקאל דומה לבן כפר שראה המלך וישעיהו דומה לבן כרך.

Compare the initial revelations of Yechezkel and Yeshayahu. Yechezkel describes his initial vision throughout the first chapter. That which he experiences is identified as מעשה מרכבה. He is compared to the villager who is privileged to see the King on one special occasion and consequently is effusive in describing this sole encounter. Yeshayahu describes his initial encounter with God in the sixth chapter, and it occupies barely three verses. He is compared to a city resident who sees the king on a daily basis.

Yeshayahu offers prophecy during the time of the first Temple, when everyone could experience divine revelation. Anyone who entered the Bet ha-Mikdash encountered the Shechinah. The Shechinah could be felt and seen everywhere. Therefore, when God appears to Yeshayahu, he does not elaborate and says:

קדוש, קדוש, קדוש; מלא כל הארץ כבודו.

Yeshayahu, who lived during a time when one could see the king's palace every day, as it were, is described as the city boy who has access to the King at all times. There was no reason for him to elaborate upon his feelings and experience of Divine revelation, since this was a common occurrence. On the other hand, Yechezkel offers prophecy at the time of the Temple's destruction, as the Jewish people are on the way to Bavel. When God appears to him it is a most unusual experience. Consequently, he describes that initial encounter in effusive detail. Yechezkel does not know whether he will have the privilege of a second encounter. As he feels the Shechinah leaving him he says,

ברוך כבוד ה' ממקומו - מקומו הנסתר.

I am willing to acknowledge God even if I never have the privilege of seeing his Shechinah again. Makom, therefore, is the name selected for God to describe him in a state of hester panim (hiding). It is for this reason that on Monday and Thursday, after the Torah reading, we recite a moving prayer:

אחינו כל בית ישראל הנתונים בצרה ובשביה... המקום ירחם עליהם ויוציאם מצרה לרוחה.

The Rav noted that this also explains why upon leaving a house of mourning, we say to the mourner: המקום ינחם אתכם. The mourner has experienced some degree of hester panim. Many laws concerning behavior in a house of mourning, such as not extending the greeting of "shalom aleichem" and the omission of birkat Kohanim from davening, confirm the state of hester panim that the mourners have experienced. Our Haggadah is designed primarily for the experience of exile. Rambam, at the conclusion of the Laws of Chametz and Matzah, chapter 88, provides a text of his Haggadah. His introductory remark is

נוסח ההגדה שנהגו בה ישראל בזמן הגלות כך הוא.

There are many indications to support this idea. We are told:

דורש פרשת ארמי אבד אבי.

We are to read and interpret the parsha of Arami oved avi. We omit the recitation and accompanying midrashic comment of the last verse of this unit thanking God for having brought us into the land (see Devarim 26:5–9). Indeed, this verse was recited during Temple times, and during a period of destruction and exile it was omitted. Our Haggadah emphasizes that the obligation of sippur yetziat Mitzrayim applies equally to a generation living in Israel with an autonomous government and one during the Crusades, the pogroms, and in the midst of the Warsaw rebellion. In every generation, Jews must make the effort to recognize the miracles of yetziat Mitzrayim even if their own personal condition reflects hester panim. For this we say Baruch ha-Makom, with Makom the Divine Name associated with hester panim.

The fifth and final introductory paragraph, יכול מראש חדש, defines when this mitzvah is to be fulfilled. Not beginning with Rosh Chodesh Nissan but rather
ליל חמשה עשר when מצה ומרור מונחים לפניך.

חָכָם מַה הוּא אוֹמֵר? מָה הָעֵדֹת וְהַחֻקִּים וְהַמִּשְׁפָּטִים, אֲשֶׁר צִוָּה יְיָ אֱלֹהֵינוּ אֶתְכֶם? (דברים ו, כ) וְאַף אַתָּה אֱמָר־לוֹ כְּהִלְכוֹת הַפֶּסַח: אֵין מַפְטִירִין אַחַר הַפֶּסַח אֲפִיקוֹמָן:

רָשָׁע מַה הוּא אוֹמֵר? מָה הָעֲבוֹדָה הַזֹּאת לָכֶם? (דברים יב, כו) לָכֶם, וְלֹא לוֹ. וּלְפִי שֶׁהוֹצִיא אֶת־עַצְמוֹ מִן הַכְּלָל, כָּפַר בָּעִקָּר. וְאַף אַתָּה הַקְהֵה אֶת־שִׁנָּיו, וֶאֱמָר־לוֹ: בַּעֲבוּר זֶה, עָשָׂה יְיָ לִי, בְּצֵאתִי מִמִּצְרָיִם. (שמות יג, ח) לִי וְלֹא־לוֹ. אִלּוּ הָיָה שָׁם, לֹא הָיָה נִגְאָל:

תָּם מַה הוּא אוֹמֵר? מַה זֹּאת? וְאָמַרְתָּ אֵלָיו: בְּחֹזֶק יָד הוֹצִיאָנוּ יְיָ מִמִּצְרַיִם מִבֵּית עֲבָדִים: (שמות יג, יד)

וְשֶׁאֵינוֹ יוֹדֵעַ לִשְׁאוֹל, אַתְּ פְּתַח לוֹ. שֶׁנֶּאֱמַר (שמות יג, ח): וְהִגַּדְתָּ לְבִנְךָ, בַּיּוֹם הַהוּא לֵאמֹר: בַּעֲבוּר זֶה עָשָׂה יְיָ לִי, בְּצֵאתִי מִמִּצְרָיִם:

יָכוֹל מֵרֹאשׁ חֹדֶשׁ, תַּלְמוּד לוֹמַר בַּיּוֹם הַהוּא. אִי בַּיּוֹם הַהוּא. יָכוֹל מִבְּעוֹד יוֹם. תַּלְמוּד לוֹמַר (שמות יג, ח). בַּעֲבוּר זֶה. בַּעֲבוּר זֶה לֹא אָמַרְתִּי, אֶלָּא בְּשָׁעָה שֶׁיֵּשׁ מַצָּה וּמָרוֹר מֻנָּחִים לְפָנֶיךָ:

The wise one – what does he say? "What are the testimonies, the statutes and the laws which the Lord, our God, has commanded you?" (Devarim 6:20)You, in turn, shall instruct him in the laws of the Pesach offering: one may not eat dessert after the Pesach offering.

The wicked one – what does he say? "What is this service to you?!" (Devarim 12:26) He says "to you," thereby excluding himself. By excluding himself, he denies the basic principle of our faith. Therefore you should blunt his teeth and say to him: "It is because of this that the Lord did [all these miracles] (Shemot 13:8) for me when I left Egypt"; "for me" – but not for him! Had he been there, he would not have been redeemed!

The simple one – what does he say? "What is this?" Tell him: "With a strong hand did the Lord take us out of Egypt, from the house of bondage." (Shemot 13:14)

As for the one who does not know how to ask – you must prompt him, as it says: (Shemot 13:8) "You shall tell your child on that day: 'It is because of this that the Lord did [all these miracles] for me when I left Egypt.' "

One might think that from the beginning of the month there is an obligation to discuss the Exodus. The Torah therefore says (Shemot 13:8): "On that day." "On that day," however, could be understood to mean only during the daytime; therefore the Torah specifies, "it is because of this." The expression "because of this" can only be said when matzah and maror are placed before you.

מִתְּחִלָּה עוֹבְדֵי עֲבוֹדָה זָרָה הָיוּ אֲבוֹתֵינוּ. וְעַכְשָׁו קֵרְבָנוּ
הַמָּקוֹם לַעֲבוֹדָתוֹ. שֶׁנֶּאֱמַר (יהושע כד, ב–ד): וַיֹּאמֶר יְהוֹשֻׁעַ
אֶל־כָּל־הָעָם. כֹּה אָמַר יְיָ אֱלֹהֵי יִשְׂרָאֵל, בְּעֵבֶר הַנָּהָר יָשְׁבוּ
אֲבוֹתֵיכֶם מֵעוֹלָם, תֶּרַח אֲבִי אַבְרָהָם וַאֲבִי נָחוֹר. וַיַּעַבְדוּ
אֱלֹהִים אֲחֵרִים: וָאֶקַּח אֶת־אֲבִיכֶם אֶת־אַבְרָהָם מֵעֵבֶר הַנָּהָר,
וָאוֹלֵךְ אוֹתוֹ בְּכָל־אֶרֶץ כְּנָעַן. וָאַרְבֶּה אֶת־זַרְעוֹ וָאֶתֶּן לוֹ
אֶת־יִצְחָק: וָאֶתֵּן לְיִצְחָק אֶת־יַעֲקֹב וְאֶת־עֵשָׂו. וָאֶתֵּן לְעֵשָׂו
אֶת הַר־שֵׂעִיר, לָרֶשֶׁת אוֹתוֹ. וְיַעֲקֹב וּבָנָיו יָרְדוּ מִצְרָיִם:

מתחילה עובדי עבודה זרה היו אבותינו

How should we begin to tell the details of our past, the Egyptian slavery and the redemption by God? The Mishnah in Pesachim 116 states

"מתחיל בגנות ומסיים בשבח".

One must begin the description with an episode describing the shame or degradation of Am Yisrael and conclude with items in its praise. Rav and Shmuel debate as to what this refers to. Shmuel says:

עבדים היינו לפרעה במצרים ויוציאנו ה' א-לוהינו משם,

while Rav says:

מתחילה עובדי עבודה זרה היו אבותינו ועכשיו קרבנו המקום לעבודתו.

There is a disagreement in Tractate Gittin 38:

רב יוסף אמר רב המפקיר עבדו יצא לחירות. רב חייא בר אבין אמר רב ... וצריך גט שיחרור.

If someone is mafkir his slave, does the slave automatically acquire his freedom or does he still require a גט שחרור (a document of release)? Rav Yosef believes that once an owner is mafkir his slave, he has severed the financial bond between master and slave, resulting in the slave's freedom. Rav Chiya believes that while hefker can release the financial bond, the דיני איסור of his servitude remain in force. A slave is obligated in the mitzvot, may not marry within Knesset Yisrael and may eat Terumah if his master is a kohen. These laws help frame his spiritual life. Hefker is insufficient to release these דיני איסור. One requires a שטר שחרור, a document that severs the bond completely.

In the beginning, our ancestors were idol worshipers; but now God has brought us close to His service, as it is said (Yehoshua 24:2-4): "Yehoshua said to all the people: 'Thus said the Lord, the God of Israel, "Your fathers used to live on the other side of the river – Terach, the father of Avraham and the father of Nachor, and they served other gods. And I took your father Avraham from beyond the river, and I led him throughout the whole land of Canaan. I increased his seed and gave him Yitzchak, and to Yitzchak I gave Yaakov and Eisav. To Eisav I gave Mount Seir to inherit, and Yaakov and his sons went down to Egypt." ' "

Here, too, Rav and Shmuel have a similar debate. Shmuel says:

עבדים היינו ויוציאנו ה'

For Shmuel, if God redeemed us from physical bondage, that is all that is required. The status of slavery has been totally removed. However, Rav believes that in addition to physical redemption, one requires spiritual redemption.

Therefore, one must emphasize "מתחילה עובדי עבודה זרה היו אבותינו" – our ancestors were initially idolators. The Midrash (ילקוט שמעוני, פרשת בשלח) states that the angels in heaven challenged God at the Red Sea as to why Jews were spared and Egyptians drowned, saying הללו עובדי עבודה זרה והללו עובדי עבודה זרה – both nations were idolators. But God provided spiritual as well as physical redemption to the Jewish people.

"ועכשיו קרבנו המקום לעבודתו" through the arrival of the Jews at Mount Sinai. Our practice is that we incorporate both opinions and begin with עבדים היינו and then proceed to מתחילה.

ואתן ליצחק את יעקב ואת עשו ואתן לעשו את הר שעיר לרשת אותו ויעקב ובניו ירדו מצרים

God made two promises. His promise to give Har Se'ir to Esav was fulfilled immediately, whereas the fulfillment of his promise of Eretz Canaan to Yaakov was delayed – ויעקב ובניו ירדו מצרים. The Jewish people's response to the delay between the promise and its fulfillment is significant. Commenting on the verse in Parshat Beshalach,

"ויסב א־לוהים את העם דרך המדבר ים סוף" (מדרש רבה שמות, כ:יח),

the Midrash adds:

"מכאן אמרו אפילו עני שבישראל לא יאכל עד שיסב."

How does the Midrash derive the Halacha that even a poor person must recline on Pesach from the fact that God took the Jewish people on a circuitous redemptive path (aside from the fact that the two words ויסב and שיסב are similar even though they have different meanings)? As the Jewish people left Mitzrayim, they obviously hoped to reach their destination, Eretz Yisrael, without delay. But God had other plans:

"ויסב א־לוהים את העם דרך מדבר ים סוף."

God led the Jewish people through the desert and their entry to Eretz Yisrael was delayed by forty years. Nonetheless, they rejoiced over having left Mitzrayim even though they had not yet realized their ultimate goal. Halacha makes an equal demand from each individual. The poor person does not see a bright future. He struggles every single day and always worries about where his next meal will come from. Nonetheless, on Pesach night we insist that he forget his personal hardships and uncertain future and focus on the redemption from Mitzrayim. He is to recite praises to God and drink four cups of wine.

מכאן אמרו אפילו עני שבישראל לא יאכל עד שיסב.

Similarly, although יעקב ובניו ירדו מצרים – and the fulfillment of the promise to enter Eretz Yisrael has been delayed – we nevertheless recognize our responsibility tonight and praise God for redeeming us from Mitzrayim.

The verse cited from Yehoshua (24:2–3) states:

בעבר הנהר ישבו אבותיכם מעולם תרח אבי אברהם ואבי נחור ויעבדו א־לוהים אחרים. ואקח את אביכם את אברהם מעבר הנהר ואולך אותו בכל ארץ כנען.

The simple interpretation of the words ואקח את אביכם is that the phrase refers to Avraham. Based on a suggestion the Rav made on Parshat Lech Lecha, one can

offer a different perspective. The Parsha begins (Bereshit 12:1):

"ויאמר ה' אל אברם לך לך מארצך וממולדתך ומבית אביך"

The problem arises that at the conclusion of Parshat Noach (11:31) the Torah states:

"ויקח תרח את אברם בנו ואת לוט בן הרן בן בנו ואת שרי כלתו אשת אברם בנו ויצא אתם מאור כשדים ללכת ארצה כנען ויבאו עד חרן."

How can the commandment to leave follow their actual departure? Ibn Ezra employs אין מוקדם ומאחר בתורה, saying that the commandment actually preceded their leaving (see Rashi and Ramban for alternate explanations). The Rav suggested that later on, the Torah writes

ואתה תבוא אל אבותיך בשלום תקבר בשיבה טובה (בראשית טו:טו)

"You, Avraham, will die in peace." Rashi, citing the Midrash (Bereshit Rabbah 58:12), says: "ללמדך שעשה תרח תשובה" Terach became a ba'al teshuvah and accepted monotheism, the idea promulgated by his son Avraham. Where in the text is there any support for this idea? "ויקח תרח את אברם בנו." Despite the fact that it is Avraham's initiative to leave Ur Kasdim, the land of idolatry, the Torah extends the honor of action and initiation to Terach to highlight the fact Terach did teshuvah. Avraham apparently recognized that in order to be an effective teacher of monotheism, he must begin with his family. He succeeded in winning over Terach and Lot. "ואקח את אביכם" could then refer to Terach, who was taken by God thanks to Avraham. This concern for family plays a prominent role on Pesach as well. The Torah describes the Korban Pesach as "שה לבית אבות שה לבית". The Mishna (Pesachim 91) states: אין שוחטין את הפסח על היחיד דברי ר' יהודה – that one is not permitted to slaughter a Korban Pesach on behalf of an individual. Korban Pesach is a group or family experience. Each member of every family should strive to reach out to those who are yet to be committed to Torah and mitzvot.

בָּרוּךְ שׁוֹמֵר הַבְטָחָתוֹ לְיִשְׂרָאֵל. בָּרוּךְ הוּא. שֶׁהַקָּדוֹשׁ בָּרוּךְ הוּא חִשַּׁב אֶת־הַקֵּץ, לַעֲשׂוֹת כְּמָה שֶׁאָמַר לְאַבְרָהָם אָבִינוּ בִּבְרִית בֵּין הַבְּתָרִים, שֶׁנֶּאֱמַר (בראשית טו, יג–יד): וַיֹּאמֶר לְאַבְרָם יָדֹעַ תֵּדַע כִּי־גֵר יִהְיֶה זַרְעֲךָ בְּאֶרֶץ לֹא לָהֶם וַעֲבָדוּם וְעִנּוּ אֹתָם אַרְבַּע מֵאוֹת שָׁנָה: וְגַם אֶת־הַגּוֹי אֲשֶׁר יַעֲבֹדוּ דָּן אָנֹכִי. וְאַחֲרֵי כֵן יֵצְאוּ בִּרְכֻשׁ גָּדוֹל:

ברוך שומר הבטחתו לישראל

"וגם את הגוי אשר יעבדו דן אנכי ואחרי כן יצאו ברכוש גדול"

Rav Soloveitchik observed that the word דן is a peculiar choice. The Hebrew equivalent of I will judge is אדון. Why does the verse use the word דן? Rav Chaim suggests that God will not serve as an objective judge but rather as a litigant, representing the Jewish people in its complaint against Pharaoh. This is predicated upon the fact that if the Jewish nation is subjected to suffering and oppression, God suffers with them.

"עמו אנכי בצרה: כל מקום שגולה ישראל גולה שכינה עמהן"

The רכוש גדול refers to the promise that God made (Shemot 3:21–22):

"ונתתי את חן העם הזה בעיני מצרים והיה כי תולכון לא תלכו ריקם ושאלה אשה מאת שכנתה ומגרת ביתה כלי כסף וכלי זהב ושמלת."

The Rav made an interesting observation. In Parshat Bo (Shemot 11:2), when God approaches Moshe to activate this commitment, he states:

"דבר נא באזני העם וישאלו איש מאת רעהו ואשה מאת רעותה כלי כסף וכלי זהב."

Rashi says אין נא אלא לשון בקשה – the word נא denotes a special request: Please, Moshe, ask the Jewish people to fulfill this request so that I can honor my commitment to Avraham, ואחרי כן יצאו ברכוש גדול. Why would it be necessary to

Blessed is He who keeps His promise to Israel, blessed be He! For the Holy One Blessed be He calculated the end [of the bondage], in order to do as He had said to our father Avraham at the "Covenant between the Pieces," as it says (Bereishit 15:13): "And He said to Avraham, 'Know for certain that your seed will be strangers in a land that is not theirs, and they [Bnai Yisrael] will serve them and they [the Egyptians] will oppress them for 400 years. But I shall also judge the nation that they shall serve, and after that they will come out with great wealth.'" (Bereishit 15:13–14)

ask the Jewish people to agree to this request? Why would anyone be reluctant to collect gold, silver and fashionable clothing from his neighbor? Apparently, this request was not to ask their Egyptian neighbors. That had already been done. What resulted was that those Jews who had rich neighbors emerged with enormous wealth while those who lived closer to poor Egyptian neighborhoods did not succeed in accruing any wealth. For this reason, God asks Moshe:

וישאלו איש מאת רעהו.

Those Jews who were not fortunate enough to live next door to wealthy Egyptians were to request from their fellow Jews who succeeded in receiving much gold and silver to share their wealth. The רעהו in the Torah always refers to fellow Jews rather than Gentiles.

כי יגוף איש שור רעהו - ודורשין רעהו ולא שור של עכו"ם.

For this reason God asks Moshe: דבר נא, implore the children of Israel. God realized that it might very well be difficult for them to part with the money they just collected. They believed that the money they received is compensation for two hundred and ten years of servitude. Why give it to anyone else? Yet sharing is an essential element in becoming a free human being. Freed slaves typically have a difficult time sharing because during their servitude, they owned nothing. God wants to teach us that as free people we must be sensitive to one another and be prepared to part with some of our accumulated wealth.

מכסים את המצות ומגביהים את הכוס, ואומרים:

וְהִיא שֶׁעָמְדָה לַאֲבוֹתֵינוּ וְלָנוּ. שֶׁלֹּא אֶחָד בִּלְבָד, עָמַד עָלֵינוּ לְכַלּוֹתֵנוּ אֶלָּא שֶׁבְּכָל דּוֹר וָדוֹר, עוֹמְדִים עָלֵינוּ לְכַלּוֹתֵנוּ. וְהַקָּדוֹשׁ בָּרוּךְ הוּא מַצִּילֵנוּ מִיָּדָם:

מניחים את הכוס ומגלים את המצות.

צֵא וּלְמַד, מַה בִּקֵּשׁ לָבָן הָאֲרַמִּי לַעֲשׂוֹת לְיַעֲקֹב אָבִינוּ. שֶׁפַּרְעֹה לֹא גָזַר אֶלָּא עַל הַזְּכָרִים, וְלָבָן בִּקֵּשׁ לַעֲקֹר אֶת־הַכֹּל.

שֶׁנֶּאֱמַר (דברים כו, ה): אֲרַמִּי אֹבֵד אָבִי, וַיֵּרֶד מִצְרַיְמָה, וַיָּגָר שָׁם בִּמְתֵי מְעָט. וַיְהִי שָׁם לְגוֹי גָּדוֹל, עָצוּם וָרָב:

וַיֵּרֶד מִצְרַיְמָה, אָנוּס עַל פִּי הַדִּבּוּר.

ארמי אבד אבי – לבן בקש לעקור את הכל

The Rav observed that Lavan sought the total assimilation of Bnai Yaakov. Virtually all commentators find it difficult to identify the source which indicates that Lavan attempted to eradicate everything. The Gaon of Vilna says that indeed, there is no explicit source. But that precisely is the point. There are times when our enemies fully announce their intent to eradicate the Jewish people. At other times they contemplate the idea without publicly stating their intentions. The Almighty, the חופש כל חדרי בטן ובוחן כליות ולב, is aware of their intentions and destroys them as well. Proof of this idea is Lavan, whose intention to destroy is undocumented, but the Holy One, blessed be He, saves us.

Based on comments the Rav made on Parshat Vayetze, we can identify a textual source to support the Baal Haggadah's contention. The Torah states (Bereshit 31:2):

The matzot are covered and the cup of wine is raised:

This [promise] has sustained our fathers and us! For not only one enemy has risen against us to destroy us, but in every generation they rise against us to destroy us; and the Holy One Blessed be He saves us from their hand.

The wine cup is put down and the matzot are uncovered:

Go and learn what Lavan the Aramean wanted to do to our father Yaakov. For Pharaoh had issued a decree only against the male children only, but Lavan wanted to uproot everyone.

As it is said: "The Aramean sought to destroy my father; and he went down to Egypt and sojourned there, few in number; and he became there a nation – great and mighty and numerous." (Devarim 26:5)

"And he went down to Egypt" forced by Divine decree.

וירא יעקב את פני לבן והנה אננו עמו כתמול שלשום.

Yaakov has noticed that his father-in-law, Lavan, is no longer pleased with him. God appears to him and tells him to return to the Land of Canaan. Packing up his entire family, Yaakov leaves suddenly without saying goodbye to his father-in-law. Lavan overtakes Yaakov, complaining that he did not even have the opportunity to bid farewell to his children and grandchildren. The critical verses (44–54) follow:

ועתה לכה נכרתה ברית אני ואתה

"Let us make a covenant." There are two different types of covenants. One indicates that the two parties will pursue a common goal, a shared destiny, and pledge to help one another. There will be interaction between their respective cultures and there is no hesitancy to intermarry with one another. However, there is a different type of covenant where the two parties have no interest in pursuing a common path. The agreement consists exclusively in respecting each other's independence, a non-aggression pact." I will not attack you and you will

not attack me. Yaakov agrees to establish a covenant with Lavan, but the two men have opposing visions regarding what the covenant will represent.

ויקח יעקב אבן וירימה מצבה

Yaakov takes a single stone. ויאמר יעקב לאחיו לקטו אבנים – Yaakov tells the clan of Lavan (see Ramban) to gather stones. For Yaakov, the symbol of the covenant is the single stone, which shall form a barrier between his family and Lavan's. For Lavan, the symbol of this covenant is the gathering of many stones, of different cultures and values and merging them together. In confirming his understanding of the covenant, Lavan states:

"א-לוהי אברהם וא-להי נחור ישפטו בינינו."

Avraham in his early age was an idolator just as Nachor was. It is this god, whom the pagans worshipped, who should serve as witness to the covenant. But Yaakov – וישבע יעקב בפחד אביו יצחק – did not include Avraham. His understanding of the covenant is to be confirmed exclusively by the God of Yitzchak, who served God all his life. Finally, ויזבח יעקב זבח בהר in preparing the feast Yaakov slaughters the animal in accordance with the laws of shechita (וזבחת כאשר ציויתיך) The laws of kashrut are destined to remind us that social interaction with idolators, expressed throughout the world by food and drink, should not exist. Had Lavan succeeded in convincing Yaakov that Lavan's understanding of the covenant should dominate, this in effect would have been the end of kedushat Yisrael and the uniqueness of the Jewish people. Therefore: לבן בקש לעקור את הכל.

ארמי אבד אבי serves as the parasha of mikra bikkurim, the reading that accompanied the mitzvah of bringing the first fruits to Yerushalayim. The Torah (Devarim 26:3) states:

"ובאת אל הכהן ואמרת אליו: הגדתי היום לה' א-לוהיך כי באתי אל הארץ."

The word הגדתי does not mean to tell but rather to offer testimony:

"אם לא יגיד ונשא עונו."

By offering my bikkurim, I offer testimony to God that He was responsible for bringing me to Eretz Yisrael. One can then suggest that the word Haggadah does not mean to tell the story of yetziat Mitzrayim but, more convincingly, to offer testimony that God took us out of Mitzrayim. The halacha regarding testimony

is that hearsay, עד מפי עד, is not accepted. In order to testify one must have witnessed the event personally. For this reason, Rambam says (Laws of Chametz and Matza 7:6):

"חייב אדם להראות את עצמו כאילו יצא עתה ממצרים."

Our challenge on Pesach night is to feel as if we are personally leaving Mitzrayim tonight.

Another possible explanation of the word Haggadah is linked to Targum Yonatan Ben Uziel, which interprets the word הגדתי as להודות ולשבח – to offer thanks and praise. Our obligation is not only to recall the episodes of yetziat Mitzrayim but to recite Hallel to God for all that He has done for us.

The format for this unit is that one recites a word or phrase of the text, supplies the Sifre's midrashic comment, and then offers a prooftext to the midrashic remark from a verse in either Bereshit or Shemot. For example, "ויגר שם" (text) "מלמד שלא ירד יעקב אבינו להשתקע שם אלא לגור שם, שנאמר: ויאמרו אל פרעה לגור בארץ באנו"

There are some interesting exceptions to the proof texts:

"וירד מצרימה - אנוס על פי הדיבור"

The statement of the Midrash, that Yaakov was coerced by God to go down to Mitzrayim is not corroborated by any verse because there is no verse indicating that God commanded Yaakov to go to Mitzrayim. God only tells Yaakov:
"אל תירא מרדה מצרים אנכי ארד עמך מצרימה" – do not be afraid to go to Mitzrayim, for I will accompany you there. Apparently the decision was Yaakov's. While the Avot would never have left Eretz Yisrael voluntarily, Yosef was sold to Mitzrayim so that Yaakov would have to go there. God arranged circumstances that would compel Yaakov to go to Mitzrayim. In this respect, אנוס על פי הדיבור. To illustrate this, the Midrash states (תנחומא וישב, ה):

ויסף הורד מצרימה אל תקרי הורד אלא הוריד שהוריד את אבין והשבטים למצרים. למה הדבר דומה? לפרה שמבקשין ליתן על בצוארה והיא מונעת מה עשו? נטלו את בנה מאחריה ומשכו אותו ואת בנה לאותו מקום הלכה שלא בטבתה בשביל בנה.

Interestingly, Rambam omits this segment entirely.

וַיָּגָר שָׁם. מְלַמֵּד שֶׁלֹּא יָרַד יַעֲקֹב אָבִינוּ לְהִשְׁתַּקֵּעַ בְּמִצְרַיִם, אֶלָּא לָגוּר שָׁם, שֶׁנֶּאֱמַר (בראשית מז, ד): וַיֹּאמְרוּ אֶל־פַּרְעֹה, לָגוּר בָּאָרֶץ בָּאנוּ, כִּי אֵין מִרְעֶה לַצֹּאן אֲשֶׁר לַעֲבָדֶיךָ, כִּי כָבֵד הָרָעָב בְּאֶרֶץ כְּנָעַן. וְעַתָּה, יֵשְׁבוּ־נָא עֲבָדֶיךָ בְּאֶרֶץ גֹּשֶׁן:

ויגר שם

The term וישב שם (he settled there) is not used, but rather ויגר שם (he lived there). ויגר indicates a transient state, not as an immigrant but as a sojourner. In Parshat Vayishlach, Yaakov says עם לבן גרתי and Rashi adds ותרי"ג מצות שמרתי. An immigrant wants to adopt a new style of life. He rids himself of his former language and customs and adopts the new. How did Yaakov remain steadfast? Since he considered himself a Ger (גר), a stranger, he was able to remain devoted to the mitzvot. The proof text using the word ger supports this idea as well.

ויאמרו אל פרעה לגור בארץ באנו כי אין מרעה לצאן...
– As soon as the famine in Canaan passes we will surely return to Canaan.

במתי מעט – It does not say מעט באנשים. The word מתי is linked to מתים (mortals). Therefore, we may derive from this that not only were they few in number but they were weak, frail, lacking in inner strength.

"And he sojourned there" – this teaches that our father Yaakov did not go down to Egypt to settle, but only to live there temporarily. As it says: "They said to Pharaoh: 'We have come to sojourn in the land, for there is no pasture for your servants' flocks because the famine is severe in the land of Canaan; and now, please, let your servants dwell in the land of Goshen.' " (Bereishit 47:4)

ויהי שם לגוי – מלמד שהיו ישראל מצוינים שם

The Gaon says that there are two expressions that refer to a nation: עם and גוי. עם refers to people who band together for particular reasons such as economic, security, and so on, while the word גוי, which comes from the root גויה, refers to one's essence. People grouped together as a גוי share a common destiny and spiritual aspirations: "ומי גוי גדול אשר לו א־לוהים קרובים אליו." There are גירסאות that read ויהי שם לגוי גדול – gadol being not a quantitative term but rather a qualitative one.

בִּמְתֵי מְעָט. כְּמָה שֶׁנֶּאֱמַר (דברים י, כב): בְּשִׁבְעִים נֶפֶשׁ, יָרְדוּ אֲבוֹתֶיךָ מִצְרָיְמָה. וְעַתָּה, שָׂמְךָ יְיָ אֱלֹהֶיךָ, כְּכוֹכְבֵי הַשָּׁמַיִם לָרֹב:

וַיְהִי שָׁם לְגוֹי. מְלַמֵּד שֶׁהָיוּ יִשְׂרָאֵל מְצֻיָּנִים שָׁם:

גָּדוֹל, עָצוּם. כְּמָה שֶׁנֶּאֱמַר (שמות א, ז): וּבְנֵי יִשְׂרָאֵל, פָּרוּ וַיִּשְׁרְצוּ, וַיִּרְבּוּ וַיַּעַצְמוּ, בִּמְאֹד מְאֹד, וַתִּמָּלֵא הָאָרֶץ אֹתָם:

וָרָב. כְּמָה שֶׁנֶּאֱמַר (יחזקאל טז, ז–ח): רְבָבָה כְּצֶמַח הַשָּׂדֶה נְתַתִּיךְ, וַתִּרְבִּי, וַתִּגְדְּלִי, וַתָּבֹאִי בַּעֲדִי עֲדָיִים: שָׁדַיִם נָכֹנוּ, וּשְׂעָרֵךְ צִמֵּחַ, וְאַתְּ עֵרֹם וְעֶרְיָה: וָאֶעֱבֹר עָלַיִךְ וָאֶרְאֵךְ מִתְבּוֹסֶסֶת בְּדָמָיִךְ וָאֹמַר לָךְ בְּדָמַיִךְ חֲיִי וָאֹמַר לָךְ בְּדָמַיִךְ חֲיִי:

ורב

Although the Jews matured, they were unable to control their natural powers. Potentially they were talented but remained undisciplined – ואת ערום עריה – until they reached Har Sinai and received the Torah, which provided discipline and harnessed the talents of the Jewish people.

"Few in number" as it says: "Your fathers went down to Egypt with seventy persons, and now, the Lord your God, has made you as numerous as the stars of heaven." (Devarim 10:22)

"And he became there a nation": this teaches that Israel was distinctive there.

"Few in number" as it says: "Your fathers went down to Egypt with seventy persons, and now, the Lord your God, has made you as numerous as the stars of heaven." (Devarim 10:22)

"And he became there a nation": this teaches that Israel was distinctive there.

"Great and mighty," as it says: "And the children of Israel were fruitful and increased and multiplied and became very mighty, and the land became filled with them." (Shemot 1:7)

"And numerous," as it says: "I caused you to thrive like the plants of the field, and you increased and grew and became very beautiful, with perfect breasts and your hair grown long. But you remained naked and bare. And I passed over you and saw you downtrodden in your blood, and I said to you, 'By your blood you shall live.' And I said to you, 'By your blood shall you live' " (Yechezkel 16:7–8)

וירעו אותנו

It does not say וירעו לנו but rather אותנו – they made us, the Jewish people, appear as wicked and disloyal by claiming

"ונוסף גם הוא על שונאינו ונלחם בנו ועלה מן הארץ".

This was a lie, since they never contemplated leaving.

וַיָּרֵעוּ אֹתָנוּ הַמִּצְרִים וַיְעַנּוּנוּ. וַיִּתְּנוּ עָלֵינוּ עֲבֹדָה קָשָׁה:

(דברים כו, ו)

וַיָּרֵעוּ אֹתָנוּ הַמִּצְרִים. כְּמָה שֶׁנֶּאֱמַר (שמות א, י): הָבָה נִתְחַכְּמָה לוֹ, פֶּן יִרְבֶּה, וְהָיָה כִּי תִקְרֶאנָה מִלְחָמָה, וְנוֹסַף גַּם הוּא עַל־שֹׂנְאֵינוּ, וְנִלְחַם־בָּנוּ וְעָלָה מִן־הָאָרֶץ:

וַיְעַנּוּנוּ. כְּמָה שֶׁנֶּאֱמַר (שמות א, יא): וַיָּשִׂימוּ עָלָיו שָׂרֵי מִסִּים, לְמַעַן עַנֹּתוֹ בְּסִבְלֹתָם: וַיִּבֶן עָרֵי מִסְכְּנוֹת לְפַרְעֹה, אֶת־פִּתֹם וְאֶת־רַעַמְסֵס:

וַיִּתְּנוּ עָלֵינוּ עֲבֹדָה קָשָׁה. כְּמָה שֶׁנֶּאֱמַר (שמות א, יג): וַיַּעֲבִדוּ מִצְרַיִם אֶת־בְּנֵי יִשְׂרָאֵל בְּפָרֶךְ:

וַנִּצְעַק אֶל־יְיָ אֱלֹהֵי אֲבֹתֵינוּ, וַיִּשְׁמַע יְיָ אֶת־קֹלֵנוּ, וַיַּרְא אֶת־עָנְיֵנוּ, וְאֶת־עֲמָלֵנוּ, וְאֶת לַחֲצֵנוּ: (דברים כו, ז)

וַנִּצְעַק אֶל־יְיָ אֱלֹהֵי אֲבֹתֵינוּ, כְּמָה שֶׁנֶּאֱמַר (שמות ב, כג): וַיְהִי בַיָּמִים הָרַבִּים הָהֵם, וַיָּמָת מֶלֶךְ מִצְרַיִם, וַיֵּאָנְחוּ בְנֵי־יִשְׂרָאֵל מִן־הָעֲבֹדָה וַיִּזְעָקוּ. וַתַּעַל שַׁוְעָתָם אֶל־הָאֱלֹהִים מִן־הָעֲבֹדָה.

"The Egyptians were evil toward us and they oppressed us, and they imposed hard labor upon us." (Devarim 26:6)

"The Egyptians considered us evil" as it says: "Come, let us deal cunningly with them lest they multiply and, if then when a war breaks out, they will join our enemies and fight against us, and escape from the land." (Shemot 1:10)

"And they oppressed," as it says: "They placed taskmasters over them in order to oppress them with their burdens, and they built store cities for Pharaoh, Pitom and Ramses." (Shemot 1:11)

"And they imposed hard labor upon us," as it says: "The Egyptians made the children of Israel work with rigor."
(Shemot 1:13)

"And we cried out to the Lord, the God of our fathers, and the Lord heard our voice and saw our suffering, our labor and our oppression." (Devarim 26:7)

"And we cried out to the Lord, the God of our fathers," as it says: "And it came to pass during that long period that the king of Egypt died; and the children of Israel groaned because of the servitude, and they cried out. And their cry for help from their servitude rose up to God." (Shemot 2:23)

ונצעק אל ה'

This phrase and its accompanying proof text are critical in terms of understanding the sequence of events leading up to yetziat Mitzrayim. Chazal believe that we were in Mitzrayim for two hundred and ten years. Why did God terminate the period of slavery at this point? What transpired in the two hundred and tenth year that did not take place in the eightieth, the hundred twenty-seventh, or the hundred eighty-third? The traditional response is that in the two hundred and tenth year, the Jewish people had sunk to a spiritual low point, symbolized by the forty-nine levels of impurity. Had they sunk to the fiftieth level, it would have been impossible to rehabilitate them. The redemption had to take place at that moment. The Rav suggested that throughout the first two hundred and nine years, we never find anyone praying to God for help. One can only speculate that the Jewish people may have believed that they could gain their freedom through political means, bribery, or perhaps via rebellion. In the two hundred and tenth year they finally realized that unless they turned to God, they would remain in the clutches of Pharaoh, as it states:

"ויהי בימים הרבים ההם... ויאנחו... ויצעקו"

God heard their pleas "וישמע א–לוהים את נאקתם" and immediately

ויזכר א־לוהים את בריתו.

God remembers the covenant he entered into with the Avot. Suddenly in Chapter 3 of Shemot, Moshe appears on the horizon and he is recruited by God to help enable yetziat Mitzrayim.

This idea helps us understand a fundamental halacha concerning the structure of prayer. The Gemara in Berachot 4b states that there is an obligation to have no interruption between the bracha of גאל ישראל and the beginning of שמונה עשרה. Common practice is not even to answer Amen upon hearing the Chazan chant גאל ישראל.

The Gemara suggests that the origin of this particular law is simply the סמיכות of the last verse of Psalms 19,

"יהיו לרצון אמרי פי והגיון ליבי לפניך ה' צורי וגואלי"

and the opening verse of Chapter 20, "יענך ה' ביום צרה" which refers to prayer. The Rav claimed that there is a powerful thematic connection. Where does man

earn the right to pray to God? How does mortal man approach the Infinite and unburden himself with all of his personal needs for good health, making a living, rebuilding Yerushalayim, and so on? How do we understand that God is ready to listen when we are ready to pray? If an individual believes that he can satisfy his needs without God, he cannot pray. A doctor who believes that it is he who cures the sick should skip the beracha of

רפאינו ה׳ ונרפא. If an individual thinks that his business acumen is responsible for his earning a living, he should skip the beracha of ברך עלינו. What gives us the right to pray is the fact that we humble ourselves and acknowledge that no need can be met without God. In this sense, prayer is avodah, service of God, demonstrating our total dependence upon Him. This idea was displayed for us in Mitzrayim. For this reason, סומכין גאולה לתפילה. We are called upon to develop the same mindset that the Jewish people learned in Mitzrayim. If we do so, only then are we granted the privilege of praying to God.

The Rav also explained the Gemara dealing with

סמיכות גאולה לתפילה בערבית.

The Gemara asks: how does one fulfill the requirement ofסמיכות גאולה לתפילה at night if we recite השכיבנו (and, if we are praying with a minyan, kaddish as well) between גאל ישראל and שמונה עשרה? The Gemara answers: השכיבנו כגאולה אריכתא דמיא – that the bracha of Hashkivenu is one extended blessing of geula. How do we explain this? The geula of shacharit refers to geulat Mitzrayim, which has already taken place. We thank God every single day for ממצרים גאלתנו ומבית עבדים פדיתנו. The geula of maariv refers to the geula that we are still waiting for. Throughout the extended period of galut, we maintained our faith –

ואמונה כל זאת

– that geula would arrive. Perhaps the more accurate text for the beracha of גאולה should not be גאל ישראל but rather the נוסח that appears with מערבות on all Chagim: "מלך צור ישראל וגואלו", expressing our affirmation that God will redeem us again. We then recite השכיבנו, asking God to remove all physical obstacles to redemption:

"והגן בעדנו והסר מעלינו אויב דבר וחרב...."

and spiritual barriers: "והסר שטן מלפנינו". We then recite the Kaddish, proclaiming the kingdom of God, and then begin the Shemoneh Esreh. "We have done our share. Please, God, do Your share and hasten our redemption."

וַיִּשְׁמַע יְיָ אֶת קֹלֵנוּ. כְּמָה שֶׁנֶּאֱמַר (שמות ב, כד): וַיִּשְׁמַע אֱלֹהִים אֶת־נַאֲקָתָם, וַיִּזְכֹּר אֱלֹהִים אֶת־בְּרִיתוֹ, אֶת־אַבְרָהָם, אֶת־יִצְחָק וְאֶת־יַעֲקֹב:

וַיַּרְא אֶת־עָנְיֵנוּ. זוֹ פְּרִישׁוּת דֶּרֶךְ אֶרֶץ. כְּמָה שֶׁנֶּאֱמַר (שמות ב, כה): וַיַּרְא אֱלֹהִים אֶת בְּנֵי־יִשְׂרָאֵל. וַיֵּדַע אֱלֹהִים:

וְאֶת־עֲמָלֵנוּ. אֵלּוּ הַבָּנִים. כְּמָה שֶׁנֶּאֱמַר (שמות א, כב): כָּל־הַבֵּן הַיִּלּוֹד הַיְאֹרָה תַּשְׁלִיכֻהוּ, וְכָל־הַבַּת תְּחַיּוּן:

וְאֶת לַחֲצֵנוּ. זֶה הַדְּחַק. כְּמָה שֶׁנֶּאֱמַר (שמות ג, ט): וְגַם־רָאִיתִי אֶת־הַלַּחַץ, אֲשֶׁר מִצְרַיִם לֹחֲצִים אֹתָם:

וַיּוֹצִאֵנוּ יְיָ מִמִּצְרַיִם, בְּיָד חֲזָקָה, וּבִזְרֹעַ נְטוּיָה, וּבְמֹרָא גָּדוֹל וּבְאֹתוֹת וּבְמוֹפְתִים: (דברים כו, ח)

וַיּוֹצִאֵנוּ יְיָ מִמִּצְרַיִם. לֹא עַל־יְדֵי מַלְאָךְ, וְלֹא עַל־יְדֵי שָׂרָף. וְלֹא עַל־יְדֵי שָׁלִיחַ. אֶלָּא הַקָּדוֹשׁ בָּרוּךְ הוּא בִּכְבוֹדוֹ וּבְעַצְמוֹ. שֶׁנֶּאֱמַר (שמות יב, יב): וְעָבַרְתִּי בְאֶרֶץ מִצְרַיִם בַּלַּיְלָה הַזֶּה, וְהִכֵּיתִי כָל־בְּכוֹר בְּאֶרֶץ מִצְרַיִם, מֵאָדָם וְעַד בְּהֵמָה, וּבְכָל־אֱלֹהֵי מִצְרַיִם אֶעֱשֶׂה שְׁפָטִים אֲנִי יְיָ:

"And the Lord heard our voice," as it says: "And God heard their moaning, and God remembered His covenant with Avraham, Yitzchak and Yaakov." (Shemot 2:24)

"And He saw our suffering," this refers to the separation of husband and wife, as it is said: "God saw the children of Israel and God took note." (Shemot 2:25)

"Our burden" – these are the sons, as it is says: "Every boy that is born, you shall throw into the river and every girl you shall keep alive." (Shemot 1:22)

"And our oppression" – this refers to the pressure, as it is says: "I have seen the oppression with which the Egyptians are oppressing them." (Shemot 3:9)

"And the Lord took us out of Egypt with a strong hand and an outstretched arm, and with great awe, and with signs and wonders." (Devarim 26:8)

"The Lord took us out of Egypt" – not through an angel, not through a seraph and not through a messenger. The Holy One Blessed be He did it in His glory by Himself. As it says: "In that night I will pass through the land of Egypt, and I will smite every firstborn in the land of Egypt, from man to beast, and I will carry out judgments against all the gods of Egypt, I am the Lord." (Shemot 12:12)

וְעָבַרְתִּי בְאֶרֶץ מִצְרַיִם בַּלַּיְלָה הַזֶּה. אֲנִי וְלֹא מַלְאָךְ. וְהִכֵּיתִי כָל בְּכוֹר בְּאֶרֶץ־מִצְרַיִם. אֲנִי וְלֹא שָׂרָף. וּבְכָל־אֱלֹהֵי מִצְרַיִם אֶעֱשֶׂה שְׁפָטִים. אֲנִי וְלֹא הַשָּׁלִיחַ. אֲנִי יְיָ. אֲנִי הוּא וְלֹא אַחֵר:

בְּיָד חֲזָקָה. זוֹ הַדֶּבֶר. כְּמָה שֶׁנֶּאֱמַר (שמות ט, ג): הִנֵּה יַד־יְיָ הוֹיָה, בְּמִקְנְךָ אֲשֶׁר בַּשָּׂדֶה, בַּסּוּסִים בַּחֲמֹרִים בַּגְּמַלִּים, בַּבָּקָר וּבַצֹּאן, דֶּבֶר כָּבֵד מְאֹד:

וּבִזְרֹעַ נְטוּיָה. זוֹ הַחֶרֶב. כְּמָה שֶׁנֶּאֱמַר (דברי הימים א׳ כא, טז): וְחַרְבּוֹ שְׁלוּפָה בְּיָדוֹ, נְטוּיָה עַל־יְרוּשָׁלָיִם:

וּבְמֹרָא גָּדֹל. זֶה גִּלּוּי שְׁכִינָה. כְּמָה שֶׁנֶּאֱמַר (דברים ד, לד): אוֹ הֲנִסָּה אֱלֹהִים, לָבוֹא לָקַחַת לוֹ גוֹי מִקֶּרֶב גּוֹי, בְּמַסֹּת בְּאֹתֹת וּבְמוֹפְתִים וּבְמִלְחָמָה, וּבְיָד חֲזָקָה וּבִזְרוֹעַ נְטוּיָה, וּבְמוֹרָאִים גְּדֹלִים. כְּכֹל אֲשֶׁר־עָשָׂה לָכֶם יְיָ אֱלֹהֵיכֶם בְּמִצְרַיִם, לְעֵינֶיךָ:

וּבְאֹתוֹת. זֶה הַמַּטֶּה, כְּמָה שֶׁנֶּאֱמַר (שמות ד, יז): וְאֶת הַמַּטֶּה הַזֶּה תִּקַּח בְּיָדֶךָ. אֲשֶׁר תַּעֲשֶׂה־בּוֹ אֶת־הָאֹתוֹת.

וּבְמֹפְתִים. זֶה הַדָּם. כְּמָה שֶׁנֶּאֱמַר (יואל ג, ג): וְנָתַתִּי מוֹפְתִים, בַּשָּׁמַיִם וּבָאָרֶץ:

"I will pass through the land of Egypt," I and not an angel – "And I will smite every firstborn in the land of Egypt" – I and not a seraph – "And I will carry out judgments against all the gods of Egypt" – I and not a messenger – "I am the Lord" – it is I and no other.

"With a mighty hand" – this refers to the dever (pestilence) as it says: "The hand of the Lord will strike your livestock which are in the field – the horses, the donkeys, the camels, the oxen and the sheep – with a very severe pestilence." (Shemot 9:3)

"And with an outstretched arm" – this refers to the sword, as it says: "His sword was drawn in His hand, stretched out over Jerusalem." (Divrei Hayamim 21:16)

"And with great awe" – this refers to the revelation of the Divine Presence, as it says: "Has God ever tried to take unto Himself a nation from the midst of another nation, with trials, signs and wonders, with war, with a mighty hand and an outstretched arm, and with awesome revelations, like all that the Lord your God did for you in Egypt before your eyes?" (Devarim 4:34)

"And with signs" – this refers to the staff, as it says: "Take into your hand this staff with which you shall perform the signs." (Shemot 4:17)
"And with wonders" – this refers to the blood, as it says: "And I shall show wonders in the heavens and on the earth." (Yoel 3:3)

נוהגים להטיף שלוש טיפות יין מן הכוס בעת אמירת המופתים:

דָּם. וָאֵשׁ. וְתִימְרוֹת עָשָׁן:

דָּבָר אַחֵר. בְּיָד חֲזָקָה שְׁתַּיִם. וּבִזְרֹעַ נְטוּיָה שְׁתַּיִם. וּבְמוֹרָא גָּדוֹל שְׁתַּיִם. וּבְאֹתוֹת שְׁתַּיִם. וּבְמוֹפְתִים שְׁתַּיִם:

נוהגים להטיף באמירת כל מכה ומכה מעט יין מן הכוס:

אֵלּוּ עֶשֶׂר מַכּוֹת שֶׁהֵבִיא הַקָּדוֹשׁ בָּרוּךְ הוּא עַל־הַמִּצְרִים בְּמִצְרַיִם, וְאֵלּוּ הֵן:

דָּם.
צְפַרְדֵּעַ.
כִּנִּים.
עָרוֹב.
דֶּבֶר.
שְׁחִין.
בָּרָד.
אַרְבֶּה.
חֹשֶׁךְ.
מַכַּת בְּכוֹרוֹת:

מטיפים טיפת יין בעת אמירת כל סימן:

רַבִּי יְהוּדָה הָיָה נוֹתֵן בָּהֶם סִימָנִים:

דְּצַ״ךְ. עֲדַ״שׁ. בְּאַחַ״ב:

Remove one drop of wine for each of the 3 calamities:

Blood, fire and columns of smoke.

Another interpretation of the preceding verse: With a mighty hand – two plagues. And with an outstretched arm – two. And with great awe – two. And with signs – two. And with wonders – two.

These are the Ten Plagues which the Holy One Blessed be He brought upon the Egyptians in Egypt, and they are as follows:

As each of the plagues is mentioned, a drop of wine is removed from the cup.

Blood.
Frogs.
Lice.
Wild
Beasts.
Pestilence.
Boils.
Hail.
Locusts.
Darkness.
Slaying of the Firstborn.

Rabbi Yehuda abbreviated them by their initials:

Remove 3 drops of wine for each acronym:

DeTzaKh
blood, frogs, lice

ADaSh
wild beasts, pestilence, boils

BeAChaV

hail, locusts, darkness, slaying of the firstborn.

רַבִּי יוֹסִי הַגְּלִילִי אוֹמֵר: מִנַּיִן אַתָּה אוֹמֵר, שֶׁלָּקוּ הַמִּצְרִים בְּמִצְרַיִם עֶשֶׂר מַכּוֹת, וְעַל הַיָּם, לָקוּ חֲמִשִּׁים מַכּוֹת? בְּמִצְרַיִם מַה הוּא אוֹמֵר (שמות ח, טו): וַיֹּאמְרוּ הַחַרְטֻמִּם אֶל פַּרְעֹה, אֶצְבַּע אֱלֹהִים הִוא. וְעַל הַיָּם מָה הוּא אוֹמֵר? (שמות יד, לא): וַיַּרְא יִשְׂרָאֵל אֶת־הַיָּד הַגְּדֹלָה, אֲשֶׁר עָשָׂה יְיָ בְּמִצְרַיִם, וַיִּירְאוּ הָעָם אֶת־יְיָ. וַיַּאֲמִינוּ בַּייָ, וּבְמֹשֶׁה עַבְדּוֹ: כַּמָּה לָקוּ בְּאֶצְבַּע, עֶשֶׂר מַכּוֹת: אֱמוֹר מֵעַתָּה, בְּמִצְרַיִם לָקוּ עֶשֶׂר מַכּוֹת, וְעַל הַיָּם לָקוּ חֲמִשִּׁים מַכּוֹת:

רַבִּי אֱלִיעֶזֶר אוֹמֵר: מִנַּיִן שֶׁכָּל־מַכָּה וּמַכָּה שֶׁהֵבִיא הַקָּדוֹשׁ בָּרוּךְ הוּא עַל הַמִּצְרִים בְּמִצְרַיִם, הָיְתָה שֶׁל אַרְבַּע מַכּוֹת? שֶׁנֶּאֱמַר (תהילים עח, מט): יְשַׁלַּח־בָּם חֲרוֹן אַפּוֹ, עֶבְרָה וָזַעַם וְצָרָה. מִשְׁלַחַת מַלְאֲכֵי רָעִים: עֶבְרָה – אַחַת. וָזַעַם – שְׁתַּיִם. וְצָרָה – שָׁלֹשׁ. מִשְׁלַחַת מַלְאֲכֵי רָעִים – אַרְבַּע: אֱמוֹר מֵעַתָּה, בְּמִצְרַיִם לָקוּ אַרְבָּעִים מַכּוֹת, וְעַל הַיָּם לָקוּ מָאתַיִם מַכּוֹת:

רַבִּי עֲקִיבָא אוֹמֵר: מִנַּיִן שֶׁכָּל־מַכָּה וּמַכָּה, שֶׁהֵבִיא הַקָּדוֹשׁ בָּרוּךְ הוּא עַל הַמִּצְרִים בְּמִצְרַיִם, הָיְתָה שֶׁל חָמֵשׁ מַכּוֹת? שֶׁנֶּאֱמַר (תהילים עח, מט): יְשַׁלַּח־בָּם חֲרוֹן אַפּוֹ, עֶבְרָה וָזַעַם וְצָרָה. מִשְׁלַחַת מַלְאֲכֵי רָעִים. חֲרוֹן אַפּוֹ – אַחַת. עֶבְרָה – שְׁתַּיִם. וָזַעַם – שָׁלֹשׁ. וְצָרָה – אַרְבַּע. מִשְׁלַחַת מַלְאֲכֵי רָעִים – חָמֵשׁ: אֱמוֹר מֵעַתָּה, בְּמִצְרַיִם לָקוּ חֲמִשִּׁים מַכּוֹת, וְעַל הַיָּם לָקוּ חֲמִשִּׁים וּמָאתַיִם מַכּוֹת:

Rabbi Yossi the Galilean said: How do you know that the Egyptians were struck by ten plagues in Egypt, and then were struck by fifty plagues at the sea? About the plagues in Egypt, what does it says? "The sorcerers said to Pharaoh, 'It is the finger of the Lord' " (Shemot 8:15). But of the events at sea, it says, "Israel saw the great hand that the Lord laid against Egypt; and the people feared the Lord, and they believed in the Lord and in His servant Moshe" (Shemot 14:31). How many plagues did the Egyptian receive from one finger? Ten. From here we can conclude that if they suffered ten plagues in Egypt, they suffered fifty at the sea.

Rabbi Eliezer said: How do we know that each individual plague which the Holy One Blessed be He brought upon the Egyptians in Egypt consisted of four plagues? For it says (Tehillim 78:49): "He sent upon his fierce anger: wrath, fury and trouble, and a team of hostile angels." Wrath is one; fury is two; trouble is three and a team of hostile angels is four. Thus from here we can conclude that in Egypt they were struck by forty plagues, and at the sea they were struck by 200 plagues.

Rabbi Akiva said: How do we know that each individual plague which the Holy One Blessed be He brought upon the Egyptians in Egypt consisted of five plagues? For it says (Tehillim 78:49): "He sent upon them his fierce anger: wrath, fury, trouble, and a team of hostile angels." Fierce anger is one, wrath is two, fury is three, trouble is four and a team of hostile angels is five. From here we can conclude that in Egypt they were struck by 50 plagues, and at the sea they were struck by 250 plagues.

כַּמָּה מַעֲלוֹת טוֹבוֹת לַמָּקוֹם עָלֵינוּ:
אִלּוּ הוֹצִיאָנוּ מִמִּצְרַיִם,
וְלֹא עָשָׂה בָהֶם שְׁפָטִים, דַּיֵּנוּ:
אִלּוּ עָשָׂה בָהֶם שְׁפָטִים,
וְלֹא עָשָׂה בֵאלֹהֵיהֶם, דַּיֵּנוּ:
אִלּוּ עָשָׂה בֵאלֹהֵיהֶם,
וְלֹא הָרַג אֶת־בְּכוֹרֵיהֶם, דַּיֵּנוּ:
אִלּוּ הָרַג אֶת־בְּכוֹרֵיהֶם,
וְלֹא נָתַן לָנוּ אֶת־מָמוֹנָם, דַּיֵּנוּ:
אִלּוּ נָתַן לָנוּ אֶת־מָמוֹנָם,
וְלֹא קָרַע לָנוּ אֶת־הַיָּם, דַּיֵּנוּ:
אִלּוּ קָרַע לָנוּ אֶת־הַיָּם,
וְלֹא הֶעֱבִירָנוּ בְתוֹכוֹ בֶּחָרָבָה, דַּיֵּנוּ:
אִלּוּ הֶעֱבִירָנוּ בְתוֹכוֹ בֶּחָרָבָה,
וְלֹא שִׁקַּע צָרֵינוּ בְּתוֹכוֹ, דַּיֵּנוּ:
אִלּוּ שִׁקַּע צָרֵינוּ בְּתוֹכוֹ,
וְלֹא סִפֵּק צָרְכֵּנוּ בַּמִּדְבָּר אַרְבָּעִים שָׁנָה, דַּיֵּנוּ:
אִלּוּ סִפֵּק צָרְכֵּנוּ בַּמִּדְבָּר אַרְבָּעִים שָׁנָה,
וְלֹא הֶאֱכִילָנוּ אֶת־הַמָּן, דַּיֵּנוּ:
אִלּוּ הֶאֱכִילָנוּ אֶת־הַמָּן,
וְלֹא נָתַן לָנוּ אֶת־הַשַּׁבָּת, דַּיֵּנוּ:
אִלּוּ נָתַן לָנוּ אֶת־הַשַּׁבָּת,
וְלֹא קֵרְבָנוּ לִפְנֵי הַר סִינַי, דַּיֵּנוּ:
אִלּוּ קֵרְבָנוּ לִפְנֵי הַר סִינַי,
וְלֹא נָתַן לָנוּ אֶת־הַתּוֹרָה, דַּיֵּנוּ:
אִלּוּ נָתַן לָנוּ אֶת־הַתּוֹרָה,
וְלֹא הִכְנִיסָנוּ לְאֶרֶץ יִשְׂרָאֵל, דַּיֵּנוּ:
אִלּוּ הִכְנִיסָנוּ לְאֶרֶץ יִשְׂרָאֵל,
וְלֹא בָנָה לָנוּ אֶת־בֵּית הַבְּחִירָה, דַּיֵּנוּ:

So many levels of favors has God bestowed upon us:
Had He brought us out from Egypt, and not executed judgment
against the Egyptians, it would have been enough for us!
Had He executed judgments against them,
and not against their gods, it would have been enough for us!
Had He executed judgment against their gods,
and not smitten their firstborn, it would have been enough for us!
Had He slain their firstborn,
and had not given us their wealth, it would have been enough for us!
Had He given us their wealth,
and not split the sea for us, it would have been enough for us!
Had He split the sea for us,
and not led us through it on dry land, it would have been enough for us!
Had He led us through on dry land,
and not drowned our tormenters in it, it would have been enough for us!
Had He drowned our tormenters in it, and not provided for our
needs in the desert for forty years, it would have been enough for us!
Had He provided for our needs in the desert for forty years,
and not fed us the manna, it would have been enough for us!
Had He fed us the manna,
and not given us the Shabbat, it would have been enough for us!
Had He given us the Shabbat, and not brought us
before Mount Sinai, it would have been enough for us!
Had He brought us before Mount Sinai,
and not given us the Torah, it would have been enough for us!
Had He given us the Torah, and not brought us
into the Land of Israel, it would have been enough for us!
Had He brought us into the Land of Israel,
and not built the Holy Temple, it would have been enough for us!

עַל אַחַת כַּמָּה וְכַמָּה טוֹבָה כְפוּלָה וּמְכוּפֶּלֶת לַמָּקוֹם עָלֵינוּ: שֶׁהוֹצִיאָנוּ מִמִּצְרַיִם, וְעָשָׂה בָהֶם שְׁפָטִים, וְעָשָׂה בֵאלֹהֵיהֶם, וְהָרַג אֶת־בְּכוֹרֵיהֶם, וְנָתַן לָנוּ אֶת־מָמוֹנָם, וְקָרַע לָנוּ אֶת־הַיָּם, וְהֶעֱבִירָנוּ בְתוֹכוֹ בֶּחָרָבָה, וְשִׁקַּע צָרֵינוּ בְּתוֹכוֹ, וְסִפֵּק צָרְכֵּנוּ בַּמִּדְבָּר אַרְבָּעִים שָׁנָה, וְהֶאֱכִילָנוּ אֶת־הַמָּן, וְנָתַן לָנוּ אֶת־הַשַּׁבָּת, וְקֵרְבָנוּ לִפְנֵי הַר סִינַי, וְנָתַן לָנוּ אֶת־הַתּוֹרָה, וְהִכְנִיסָנוּ לְאֶרֶץ יִשְׂרָאֵל, וּבָנָה לָנוּ אֶת־בֵּית הַבְּחִירָה, לְכַפֵּר עַל־כָּל־עֲוֹנוֹתֵינוּ:

(עד כאן אומרים בשבת הגדול)

רַבָּן גַּמְלִיאֵל הָיָה אוֹמֵר: כָּל שֶׁלֹּא אָמַר שְׁלֹשָׁה דְּבָרִים אֵלּוּ בַּפֶּסַח, לֹא יָצָא יְדֵי חוֹבָתוֹ, וְאֵלּוּ הֵן:

פֶּסַח. מַצָּה. וּמָרוֹר:

מסתכלים על הזרוע ואומרים:

פֶּסַח שֶׁהָיוּ אֲבוֹתֵינוּ אוֹכְלִים, בִּזְמַן שֶׁבֵּית הַמִּקְדָּשׁ הָיָה קַיָּם, עַל שׁוּם מָה?

עַל שׁוּם שֶׁפָּסַח הַקָּדוֹשׁ בָּרוּךְ הוּא, עַל בָּתֵּי אֲבוֹתֵינוּ בְּמִצְרַיִם, שֶׁנֶּאֱמַר (שמות יב, כז): וַאֲמַרְתֶּם זֶבַח פֶּסַח הוּא לַיְיָ, אֲשֶׁר פָּסַח עַל בָּתֵּי בְנֵי יִשְׂרָאֵל בְּמִצְרַיִם, בְּנָגְפּוֹ אֶת־מִצְרַיִם וְאֶת־בָּתֵּינוּ הִצִּיל, וַיִּקֹּד הָעָם וַיִּשְׁתַּחֲווּ:

Thus how much more so should we be grateful to God for the manifold goodness that He has showered upon us; for He brought us out of Egypt; and executed judgments against them and against their gods, and slew their firstborn; and gave us their wealth; and split the sea for us; and led us through it on dry land; and drowned our tormenters in it, and provided for our needs in the desert for forty years, and fed us the manna, and gave us the Shabbat; and brought us before Mount Sinai; and gave us the Torah; and brought us into the land of Israel; and built for us the Holy Temple to atone for all our sins.

Rabban Gamliel used to say: Whoever does not discuss the following three things on Pesach has not fulfilled his obligation, and these are:

Pesach, Matzah and Maror

The Pesach sacrifice that our fathers ate during the period of the Holy Temple – what is its meaning? Because the Holy One blessed be He passed over our fathers' houses in Egypt, as it says: "You shall say, 'It is a Pesach sacrifice to the Lord who passed over the houses of the Children of Israel in Egypt when He smote the Egyptians and saved our houses.' And the people bowed down and prostrated themselves." (Shemot 12:27)

מגביהים את המצה, מראים למסובים, ואומרים:

מַצָּה זוֹ שֶׁאָנוּ אוֹכְלִים, עַל שׁוּם מָה?
עַל שׁוּם שֶׁלֹּא הִסְפִּיק בְּצֵקָם שֶׁל אֲבוֹתֵינוּ לְהַחֲמִיץ, עַד שֶׁנִּגְלָה עֲלֵיהֶם מֶלֶךְ מַלְכֵי הַמְּלָכִים, הַקָּדוֹשׁ בָּרוּךְ הוּא, וּגְאָלָם, שֶׁנֶּאֱמַר (שמות יב, לט): וַיֹּאפוּ אֶת־הַבָּצֵק, אֲשֶׁר הוֹצִיאוּ מִמִּצְרַיִם, עֻגֹת מַצּוֹת, כִּי לֹא חָמֵץ: כִּי גֹרְשׁוּ מִמִּצְרַיִם, וְלֹא יָכְלוּ לְהִתְמַהְמֵהַּ, וְגַם צֵדָה לֹא עָשׂוּ לָהֶם.

מגביהים את המרור ואומרים:

מָרוֹר זֶה שֶׁאָנוּ אוֹכְלִים, עַל שׁוּם מָה?
עַל שׁוּם שֶׁמֵּרְרוּ הַמִּצְרִים אֶת־חַיֵּי אֲבוֹתֵינוּ בְּמִצְרַיִם, שֶׁנֶּאֱמַר (שמות א, יד): וַיְמָרְרוּ אֶת־חַיֵּיהֶם בַּעֲבֹדָה קָשָׁה, בְּחֹמֶר וּבִלְבֵנִים, וּבְכָל־עֲבֹדָה בַּשָּׂדֶה: אֵת כָּל עֲבֹדָתָם, אֲשֶׁר עָבְדוּ בָהֶם בְּפָרֶךְ.

Lift up the matzah and recite the following:

This matzah that we eat – what is its meaning? It is because our fathers' dough did not have time to rise before the King of kings: the Holy One Blessed be He revealed Himself to them and redeemed them. As it says: "They baked the dough which they had brought out of Egypt into cakes of matzah, for it had not leavened; because they were driven out of Egypt and could not delay, nor had they prepared provisions for themselves." (Shemot 12:39)

The maror is held up and the following passage is recited:

This bitter herb that we eat – what is its meaning? Because the Egyptians embittered our fathers' lives in Egypt, as it says: "They made their lives bitter with hard labor, with mortar and with bricks, and with all manner of labor in the field; whatever they made them do was with rigor." (Shemot 1:14)

רבן גמליאל היה אומר... ואלו הן: פסח, מצה ומרור

The three מצות אכילה of pesach, matzah and maror are designed to counter three typical behaviors of freed slaves:

1. *Maror*: They are no longer interested in remembering the past. It is too painful for them to recall their bitter days as slaves.
2. *Matzah*: They set their sights on acquiring wealth because they realize how much power rests in the hands of the wealthy. During their period of servitude, they witnessed first-hand how wealthy people live, and they are determined to emulate their lifestyle.
3. *Pesach*: They become selfish. When they were slaves, they owned nothing. Everything belonged to their masters and they had to share whatever they had with the other slaves.

God wanted to prevent the Jewish people from adopting these attitudes. Therefore, we eat maror because it is important to remember the past. The Torah implores us: וגר לא תלחץ, ואהבתם את הגר – do not oppress the convert but rather love him because "כי גרים הייתם בארץ מצרים".

We should remember how it felt to be taken advantage of when we were גרים. Therefore, when we establish our own autonomous government in Israel, we shall never enslave other people. We are also asked to remember the immoral culture and climate of Mitzrayim so that we do not adopt their practices (Vayikra 18:3): "כמעשה ארץ מצרים אשר ישבתם בה לא תעשו"

Do not mimic their idolatry, adultery and other despicable practices.

In order to counter the second concern, that a freed slave's goal is to accumulate wealth, we eat matzah, which is described as לחם עוני – the bread of poverty. Freedom cannot be measured in dollars but rather by one's commitment to Torah: "אין לך בן חורין אלא זה שעוסק בתורה".

In order to train freed slaves not to be selfish but rather to share their assets, we eat the Korban Pesach, which is a mitzvah that must be fulfilled as a group.

One opinion in Mishna Pesachim states:

שה לבית אבת שה לבית: אין שוחטין את הפסח על היחיד

is the preferred procedure for Korban Pesach.

פסח שהיו אוכלין... על שום מה

The Rav preferred saying על שם מה rather than על שום מה. שום is translated: Why do we eat pesach, matzah and maror? The answer is the same for each part of the question: because God instructed us to do so, which is the primary reason for observing any mitzvah. Korban Pesach is described as a chok. Typically, we translate chok as a law that has no apparent rationale. Pesach is certainly logical, as the verse itself says:

"אשר פסח על בתי בני ישראל במצרים בנגפו את מצרים ואת בתינו הציל."

Why identify it as a chok? The reason that we eat the Korban Pesach is because God legislated it. Any symbolism and meaning is secondary. The phrase על שם מה means: What is the special significance of this mitzvah? One is permitted to ask that question and provide as meaningful an answer as possible.

מצה זו שאנו אוכלין... שלא הספיק בצקם של אבותינו להחמיץ

The matzah that we eat is זכר לחרות. However, until the point of eating we refer to the matzah as לחם עוני serving as a symbol of עבדות and not of חרות. After one recites Hallel and fully realizes that yetziat Mitzrayim is a personal experience, then the matzah is converted to a symbol of חרות. This idea that a single item, matzah, can represent both עבדות and an opposing concept, חרות, is a unique phenomenon of Pesach night. Typically, every special day of our calendar can easily be identified as to what it represents. Sukkot is a festive occasion recalling Divine Providence and protection in the desert. Tisha be-Av, which is observed to remember the destruction, is a day of mourning. However, Pesach is a mixture of themes and feelings – "מתחיל בגנות ומסיים בשבח".

Abarbanel explains that this is the meaning of the introductory question to the four questions – מה נשתנה הלילה הזה. How different is this night that we present symbols of slavery, matza and maror, and symbols of freedom, טיבול ומסובין. The matzah itself represents both ideas. That is what makes the seder so unusual.

בְּכָל־דּוֹר וָדוֹר חַיָּב אָדָם לִרְאוֹת אֶת־עַצְמוֹ, כְּאִלּוּ הוּא יָצָא מִמִּצְרַיִם, שֶׁנֶּאֱמַר (שמות יג, ח): וְהִגַּדְתָּ לְבִנְךָ בַּיּוֹם הַהוּא לֵאמֹר: בַּעֲבוּר זֶה עָשָׂה יְיָ לִי, בְּצֵאתִי מִמִּצְרָיִם. לֹא אֶת־אֲבוֹתֵינוּ בִּלְבָד, גָּאַל הַקָּדוֹשׁ בָּרוּךְ הוּא, אֶלָּא אַף אוֹתָנוּ גָּאַל עִמָּהֶם, שֶׁנֶּאֱמַר (דברים ו, כג): וְאוֹתָנוּ הוֹצִיא מִשָּׁם, לְמַעַן הָבִיא אוֹתָנוּ לָתֶת לָנוּ אֶת־הָאָרֶץ אֲשֶׁר נִשְׁבַּע לַאֲבֹתֵינוּ:

נוהגים להגביה את הכוס:

לְפִיכָךְ אֲנַחְנוּ חַיָּבִים לְהוֹדוֹת, לְהַלֵּל, לְשַׁבֵּחַ, לְפָאֵר, לְרוֹמֵם, לְהַדֵּר, לְבָרֵךְ, לְעַלֵּה וּלְקַלֵּס, לְמִי שֶׁעָשָׂה לַאֲבוֹתֵינוּ וְלָנוּ אֶת־כָּל־הַנִּסִּים הָאֵלּוּ. הוֹצִיאָנוּ מֵעַבְדוּת לְחֵרוּת, מִיָּגוֹן לְשִׂמְחָה, וּמֵאֵבֶל לְיוֹם טוֹב, וּמֵאֲפֵלָה לְאוֹר גָּדוֹל, וּמִשִּׁעְבּוּד לִגְאֻלָּה. וְנֹאמַר לְפָנָיו שִׁירָה חֲדָשָׁה. הַלְלוּיָהּ:

לפיכך אנחנו חייבים להודות ולהלל

There is a disagreement between Shammai and Hillel concerning the Hallel that is recited prior to the meal. Shammai says (Pesachim 116) that one recites only the first chapter, up to אם הבנים, and begins the Hallel after birkat ha-mazon with בצאת ישראל ממצרים. Hillel says that before the meal, one recites the first two paragraphs, הללו עבדי ה' and בצאת ישראל ממצרים, and begins לא לנו after birkat ha-mazon. Shammai believes that since the fourth of the ארבע כוסות is drunk over the Hallel, one should at least describe yetziat Mitzrayim during the cup devoted to the Hallel. In order to satisfy the obligation of לפיכך חייבים להודות, which is recited prior to the meal, one paragraph suffices. The primary expression of Hallel for yetziat Mitzrayim is after birkat ha-mazon. Hillel believes that if we are already saying now, before the meal, חייבים להודות ולהלל, we must mention בצאת ישראל ממצרים, which is the reason why we recite the Hallel. The Hallel that we recite after birkat ha-mazon is not necessarily devoted to yetziat Mitzrayim, but rather offers thanksgiving for everything else that God does on our behalf and for that which

In every generation, it is one's duty to see himself as though he had personally come out from Egypt, as it says: "You shall tell your son on that day: 'It was because of this that the Lord did [all these miracles] for me when I went out of Egypt' (Shemot 13:8)." Not only our fathers did the Holy One Blessed be He redeem from Egypt, but He redeemed us with them as well, as it says: "It was us that He brought out from there, so that He might bring us to give us the land that He promised to our fathers."
(Devarim 6:23)

Raise the cup of wine.

Therefore it is our duty to thank, praise, hail, glorify, exalt, honor, bless, extol and celebrate Him Who did all these miracles for our fathers and us. He brought us forth from slavery to freedom, from sorrow to joy, and from mourning to festivity, and from darkness to great light, and from servitude to redemption. Let us therefore recite before Him a new song: Halleluyah!

He will do in the future, particularly the future redemption. This idea, that once we are obligated to say Hallel and express gratitude (hoda'ah) for one thing that God did, we are then obligated to acknowledge everything that God has done on our behalf, is also reflected in several other areas. Birkat ha-mazon discharges the obligation to thank God for our food. But then we add the fourth bracha of birkat ha-mazon, "הוא הטיב הוא מטיב הוא יטיב", which is a general expression of thanks for all the good He has done for us. Similarly, during birkat ha-gomel the one reciting the blessing says: הגומל לחייבים טובות שגמלני כל טוב rather than שגמלני טוב זה, which would be the reference to the single event for which one is thanking God. One who was ill and recovered thanks God for everything that He has done in addition to the recovery from that illness. So, too, the Gemara in Berachot 54 says in the name of Ravina that if a miracle occurred to one in two separate locations, then whenever one chances upon either location, one should thank God for the miracles that took place in both places. All of these practices support Hillel's position, which is our practice on Pesach night.

הַלְלוּיָהּ. הַלְלוּ עַבְדֵי יְיָ. הַלְלוּ אֶת־שֵׁם יְיָ. יְהִי שֵׁם יְיָ מְבֹרָךְ מֵעַתָּה וְעַד עוֹלָם: מִמִּזְרַח שֶׁמֶשׁ עַד מְבוֹאוֹ. מְהֻלָּל שֵׁם יְיָ: רָם עַל־כָּל־גּוֹיִם יְיָ. עַל הַשָּׁמַיִם כְּבוֹדוֹ: מִי כַּייָ אֱלֹהֵינוּ. הַמַּגְבִּיהִי לָשָׁבֶת: הַמַּשְׁפִּילִי לִרְאוֹת בַּשָּׁמַיִם וּבָאָרֶץ: מְקִימִי מֵעָפָר דָּל. מֵאַשְׁפֹּת יָרִים אֶבְיוֹן: לְהוֹשִׁיבִי עִם־נְדִיבִים. עִם נְדִיבֵי עַמּוֹ: מוֹשִׁיבִי עֲקֶרֶת הַבַּיִת אֵם הַבָּנִים שְׂמֵחָה. הַלְלוּיָהּ: (תהלים קיג)

בְּצֵאת יִשְׂרָאֵל מִמִּצְרָיִם, בֵּית יַעֲקֹב מֵעַם לֹעֵז: הָיְתָה יְהוּדָה לְקָדְשׁוֹ. יִשְׂרָאֵל מַמְשְׁלוֹתָיו: הַיָּם רָאָה וַיָּנֹס, הַיַּרְדֵּן יִסֹּב לְאָחוֹר: הֶהָרִים רָקְדוּ כְאֵילִים. גְּבָעוֹת כִּבְנֵי צֹאן: מַה לְּךָ הַיָּם כִּי תָנוּס. הַיַּרְדֵּן תִּסֹּב לְאָחוֹר: הֶהָרִים תִּרְקְדוּ כְאֵילִים. גְּבָעוֹת כִּבְנֵי־צֹאן: מִלִּפְנֵי אָדוֹן חוּלִי אָרֶץ. מִלִּפְנֵי אֱלוֹהַּ יַעֲקֹב: הַהֹפְכִי הַצּוּר אֲגַם־מָיִם. חַלָּמִישׁ לְמַעְיְנוֹ־מָיִם: (תהלים קיד)

Halleluyah! Praise His mighty deeds, you servants of the Lord, praise the Name of God. Blessed be the Name of the Lord from now and forever. From the rising of the sun to its setting, praised be the Name of the Lord. Supreme above all nations is the Lord, above the heavens is His glory. Who is like the Lord, our God, Who is enthroned on high, yet looks down upon the heaven and the earth? He raises the poor from the dust, from the trash heaps He lifts the pauper – to seat them with nobles, with the nobles of His people. He transforms a childless woman into a joyful mother of children. Halleluyah. (Tehillim 113)

When Israel went out from Egypt, the House of Yaakov from a people of a foreign language, Judah became His holy one, Israel His dominion. The sea saw and fled; the Jordan turned backward. The mountains skipped like rams, the hills like young sheep. What ails you, sea, that you flee, Jordan, that you turn backward? Mountains, why do you skip like rams, hills, like young sheep? Tremble O earth before the God of Yaakov, who turns the rock into a pool of water, the flint into a flowing fountain. (Tehillim 114)

מכסים את המצות ומגביהים את הכוס:

בָּרוּךְ אַתָּה יְיָ, אֱלֹהֵינוּ מֶלֶךְ הָעוֹלָם, אֲשֶׁר גְּאָלָנוּ וְגָאַל אֶת־אֲבוֹתֵינוּ מִמִּצְרַיִם, וְהִגִּיעָנוּ הַלַּיְלָה הַזֶּה, לֶאֱכָל־בּוֹ מַצָּה וּמָרוֹר. כֵּן, יְיָ אֱלֹהֵינוּ וֵאלֹהֵי אֲבוֹתֵינוּ, יַגִּיעֵנוּ לְמוֹעֲדִים וְלִרְגָלִים אֲחֵרִים, הַבָּאִים לִקְרָאתֵנוּ לְשָׁלוֹם. שְׂמֵחִים בְּבִנְיַן עִירֶךָ, וְשָׂשִׂים בַּעֲבוֹדָתֶךָ, וְנֹאכַל שָׁם מִן הַזְּבָחִים וּמִן הַפְּסָחִים (במוצש"ק אומרים: מִן הַפְּסָחִים וּמִן הַזְּבָחִים), אֲשֶׁר יַגִּיעַ דָּמָם, עַל קִיר מִזְבַּחֲךָ לְרָצוֹן, וְנוֹדֶה לְךָ שִׁיר חָדָשׁ עַל גְּאֻלָּתֵנוּ, וְעַל פְּדוּת נַפְשֵׁנוּ: בָּרוּךְ אַתָּה יְיָ, גָּאַל יִשְׂרָאֵל:

מברכים ושותים בהסיבת שמאל.

בָּרוּךְ אַתָּה יְיָ, אֱלֹהֵינוּ מֶלֶךְ הָעוֹלָם, בּוֹרֵא פְּרִי הַגָּפֶן:

ברכת אשר גאלנו

Mishna Pesachim 116 cites a dispute between Rabbi Akiva and Rabbi Tarfon concerning this beracha. Rabbi Tarfon believes that it is a ברכה קצרה and the text reads simply

אשר גאלנו וגאל את אבותינו מצרים והיגיענו ללילה לזה לאכול בו מצה ומרור.

As this is a ברכת הודאה thanking God for geulat Mitzrayim, it is, according to Rabbi Tarfon, inappropriate to include requests in this beracha. Rabbi Akiva, however, believes that this is a ברכה ארוכה and includes not only the thanks to God but a request as well that we should have the opportunity to celebrate the Yom Tov of Pesach with the rebuilding of the Bet ha-Mikdash so that we will be able to eat the Korban Pesach and the Korban Chagiga. Our practice follows Rabbi Akiva.

The matzot are covered and the cup is lifted.

Blessed are You, Lord our God, King of the universe, who has redeemed us and redeemed our fathers from Egypt, and enabled us to reach this night that we may eat matzah and maror on it. So too, Lord our God and God of our fathers, enable us to reach future holidays and festivals in peace, rejoicing in the rebuilding of Your city and ecstatic in Your service. And there we will partake of the sacrifices and Pesach offerings [on Saturday night say: of the Pesach offerings and of the sacrifices] whose blood shall be sprinkled on the wall of Your altar for gracious acceptance. We will then thank You with a new song for our redemption and for the deliverance of our souls. Blessed are You, God, who has redeemed Israel.

Blessed are You, Lord our God, King of the universe, who creates the fruit of the vine.

The second cup is drunk while leaning on the left side.

אשר גאלנו וגאל את אבותינו

In this beracha we first make reference to our redemption and then to that of our ancestors. In the paragraphs preceding Hallel we say
לפיכך אנחנו חייבים להודות ולהלל... למי שעשה ניסים לאבותינו ולנו,
mentioning our forefathers first and then our present generation. Throughout the entire Haggadah we emphasize the drama that God orchestrated. We begin with the perspective of what happened to our ancestors. The challenge is to recognize that geulat Mitzrayim has relevance to our lives as well. When an individual understands that and bursts into song, נאמר לפניו שירה חדשה – the Hallel which I am saying is, indeed, new (חדשה) because it offers praise to God for my geula this year. Having recited the Hallel and fully recreated the experience of yetziat Mitzrayim for ourselves, we now have the right to say אשר גאלנו and then וגאל את אבותינו. Until we reach that point we must first acknowledge the redemption of our ancestors. Yet once we have recited the Hallel and experienced redemption on a personal level, we have the right to acknowledge our own redemption and then that of our ancestors.

רַחְצָה

נוטלים ידיים לסעודה ומברכים:

בָּרוּךְ אַתָּה יְיָ, אֱלֹהֵינוּ מֶלֶךְ הָעוֹלָם, אֲשֶׁר קִדְּשָׁנוּ בְּמִצְוֹתָיו, וְצִוָּנוּ עַל נְטִילַת יָדָיִם:

מוֹצִיא

מגביהים את שתי המצות השלמות והפרוסה שביניהם ומברכים:

בָּרוּךְ אַתָּה יְיָ, אֱלֹהֵינוּ מֶלֶךְ הָעוֹלָם, הַמּוֹצִיא לֶחֶם מִן הָאָרֶץ:

ונודה לך שיר חדש על גאולתנו ועל פדות נפשנו

There are two aspects to slavery. The first is juridic, the political condition which reduces human beings to the status of chattels. The slave's body and skills belong to a master by virtue of a legal system that defines his status. The second is typological. We refer to a mental state of servility rather than to physically imposed enslavement. These are people who think, feel, act or react in a manner that suggests that their freedom is warped, scarred and constricted. This slave mentality can be found even among politically free people. We thank God for גאולתנו ועל פדות נפשנו for redemption from both types of slavery, for material as well as spiritual redemption.

RACHTZAH

The participants wash their hands and then recite the following blessing:

Blessed are You, Lord our God, King of the universe, who has sanctified us with His commandments and commanded us concerning the washing of the hands.

One should not speak until after making the following two blessings and eating the matzah.

MOTZI

The matzot are taken in the order that they are placed on the tray – the broken piece between the two whole matzot – and the following blessing is recited.

Blessed are You, Lord our God, King of the universe, who brings forth bread from the earth.

Are human beings ever truly free? Actually, they are not, even when they show no signs of physical constraint. On a physiological level, human beings are prisoners of natural law, their health subject to disaster, accidents, illness and death. On a social level, human beings respond to social standards, pressure, opinions and prejudices. Human beings become free only by surrendering to God. Then they are no longer frightened by death or illness, which can be psychologically depressing. The one basic value or concept of yirat shamayim, fear of God, removes all other fears. Therefore, surrender to God brings more freedom, not less. For this reason, at the beginning of the Haggadah we emphasize: ויוציאנו ה' א־לוהינו משם – not only did God take us out of Mitzrayim, but He took us under His protection.

מַצָּה

מניחים את המצה התחתונה, ומברכים "על אכילת מצה" ומכוונים לפטור גם את המצה שב"כורך" ואת מצת ה"אפיקומן".

בָּרוּךְ אַתָּה יְיָ, אֱלֹהֵינוּ מֶלֶךְ הָעוֹלָם, אֲשֶׁר קִדְּשָׁנוּ בְּמִצְוֹתָיו וְצִוָּנוּ עַל אֲכִילַת מַצָּה:

בוצעים כזית מן המצה העליונה וכזית מן הפרוסה ואוכלים בהסיבה.

מָרוֹר

לוקחים כזית מרור וטובלים בחרוסת, ומברכים:

בָּרוּךְ אַתָּה יְיָ, אֱלֹהֵינוּ מֶלֶךְ הָעוֹלָם, אֲשֶׁר קִדְּשָׁנוּ בְּמִצְוֹתָיו וְצִוָּנוּ עַל אֲכִילַת מָרוֹר:

אוכלים בלא הסיבה.

כּוֹרֵךְ

לוקחים כזית מהמצה השלישית וכזית מרור, כורכים ביחד ואומרים:

זֵכֶר לְמִקְדָּשׁ כְּהִלֵּל: כֵּן עָשָׂה הִלֵּל בִּזְמַן שֶׁבֵּית הַמִּקְדָּשׁ הָיָה קַיָּם. הָיָה כּוֹרֵךְ פֶּסַח מַצָּה וּמָרוֹר וְאוֹכֵל בְּיַחַד. לְקַיֵּם מַה שֶּׁנֶּאֱמַר: עַל־מַצּוֹת וּמְרוֹרִים יֹאכְלֻהוּ:

אוכלים בהסיבת שמאל.

שֻׁלְחָן עוֹרֵךְ

מצווה לאכול את סעודת החג.

MATZAH

After putting down the bottom matzah, the following blessing is recited over the broken matzah and the top one. This blessing also refers to the eating of the Korech and the eating of the Afikoman:

Blessed are You, Lord our God, King of the universe, who has sanctified us with His commandments and commanded us concerning the eating of matzah.

All participants eat from both matzot in a reclining position.

MAROR

The maror (bitter herbs) "the size of an olive" is dipped in charoset and eaten after reciting the following blessing:

Blessed are You, Lord our God, King of the universe, who has sanctified us with His commandments and commanded us concerning the eating of maror.

KOREKH

Maror is dipped in charoset and placed between two pieces of the bottom matzah. It is eaten as a "sandwich" in a reclining position following the recitation of the following:

In remembrance of the Temple, we do as Hillel did at the time when the Temple was standing. He would combine matzah and maror in a sandwich and eat them together, to fulfill what is written in the Torah, "with matzot and bitter herbs shall they eat it."

SHULCHAN OREKH

The festive meal is eaten. It is a custom to eat a hard-boiled egg at the beginning of the meal, and that no roasted meat should be eaten, for this might be mistaken for the Pesach sacrifice, which is forbidden to be offered in exile. One should try to recline throughout the meal.

ענייני הלכה

כורך

הגמרא בפסחים (דף קטו.) מביאה מחלוקת בשאלה איך יש לקיים מצות מצה ומרור. לדעת הלל חייבים לאכול אותם בכריכה מפני שכתוב "על מצות ומרורים יאכלוהו", ורב אשי מביא תנא הסובר שנאכלים אפילו זה בפני עצמו וזה בפני עצמו, כלומר שכל אחד רשאי לבחור אם לאכלם בכריכה או כל אחד בפני עצמו. שיטה שלישית מובאת בסוגיה בשם ר' יוחנן ולפיה חולקים חבריו על הלל, וסוברים שאסור לאכול בכריכה אלא דוקא מצה לחוד ומרור לחוד. כל זה בזמן המקדש שאוכלים קרבן פסח ויש חיוב מדאורייתא לאכול מרור. אבל בזמן שמרור הוא רק מדרבנן, אוכלים מצה לחוד ומרור לחוד ואחרי כן אוכלים כורך זכר למקדש כהלל. התוספות מבינים שיש ספיקא דדינא אם פוסקים כהלל או כרב אשי, ולכן בזמננו עושים כשניהם, בתחילה אוכלים מצה לחוד ומרור לחוד, שהרי אפילו הלל היה מודה בזמן הזה שחייבים לאכלם לחוד מפני שמרור דרבנן מבטל מצה דאורייתא, ואחרי כן אוכלים בכריכה זכר למקדש כהלל שמא הדין הוא כהלל בזמן המקדש.

הרמב"ם (הלכות חמץ ומצה פרק ח הלכה ו) כותב: "ואחר כך כורך מצה ומרור כאחד מטבל בחרוסת ומברך ברוך... על אכילת מצה ומרורים ואוכלן. ואם אכל מצה בפני עצמה ומרור בפני עצמו מברך על זה בפני עצמו ועל זה בפני עצמו". מדבריו נראה שלא כדברי התוספות, אלא לדעתו ההלכה בזמן המקדש היא כרב אשי שיש אפשרות לקיים את המצוה או בכריכה או בזה אחר זה. בהלכה ח ממשיך הרמב"ם: "בזמן הזה שאין שם קרבן אחר שמברך המוציא חוזר ומברך על אכילת מצה ומטבל בחרוסת ואוכל. וחוזר ומברך על אכילת מרור ומטבל מרור בחרוסת... וחוזר וכורך מצה ומרור ומטבל בחרוסת ואוכלן בלא ברכה זכר למקדש". אולם מכיון שהרמב"ם אינו פוסק כהלל שבזמן המקדש חייבים לאכול בכריכה יש להבין מדוע הוא מחייב בזמן הזה לאכול בכריכה זכר למקדש, שהרי לא מסתבר כלל לומר שיש חיוב לעשות זכר **לאפשרות** שהיתה במקדש לאכול בכריכה. על כך מסביר מורנו שרבנן החולקים על הלל מפרשים את הפסוק "על מצות ומרורים יאכלוהו" בצורה אחרת, שאם יש קרבן פסח, הפסח מצרף את המצה והמרור לאכילה אחת גם אם בפועל אין אוכלים אותם יחד. הדבר דומה לתפריט של מסעדה שהמנה העיקרית, עוף, בשר או דג, כתובה למעלה באותיות גדולות, ולמטה באותיות קטנות כתובות התוספות הבאות עם המנה העיקרית. לכן גם כשאוכלים את המצה, המרור והפסח בזה אחר זה הדין של "על מצות ומרורים יאכלוהו" מצרף אותם לאכילה אחת ומקיימים בכך את הדין של "על מצות ומרורים יאכלוהו". אבל בזמן הזה שאין לנו קרבן פסח, הרמב"ם מחייב לאכול כורך זכר לקרבן פסח, והאכילה בכריכה מהווה זכר למה שהפסח היה עושה אפילו בלי כריכה, והיא מסמלת את כוחו של קרבן הפסח. הסבר זה מדוייק גם בלשון הרמב"ם "ואוכלין...

זכר למקדש" ולא כתב "זכר למקדש כהלל" מפני שהרמב"ם אינו פוסק כהלל ולדעתו החיוב של כורך הוא רק זכר לכוחו של קרבן הפסח במקדש. (ועיין בהגדת שיח הגרי"ד שמנסח את הרעיון בצורה אחרת.)

הפסוק שהלל לומד ממנו את מצות הכריכה הוא "על מצות ומרורים יאכלוהו". פסוק זה מופיע בפרשת "בהעלתך" ושם מדובר על פסח שני. השאלה היא מדוע אין הלל לומד זאת מהפסוק בפרשת בא העוסק בפסח ראשון: "ואכלו את הבשר בלילה הזה צלי אש ומצות על מרורים יאכלוהו". מלבד הדין של הלל, לומדים מהפסוק בפרשת "בהעלתך" שמצות מרור תלויה בקרבן פסח, ובזמן שאין בית המקדש קיים מצות אכילת מרור היא רק מדרבנן, כמו שהגמרא אומרת (דף קכ.): "אמר רבא: מצה בזמן הזה דאורייתא ומרור מדרבנן". הלימוד הוא מכך שאין התורה מפרטת חיוב נפרד לאכול מרור כמו שהיא מפרטת לגבי מצה בפסוק "בערב תאכלו מצות", אלא החיוב לאכול מרור מופיע רק בצירוף החיוב לאכול קרבן פסח, כפי שנאמר בפסוק לגבי פסח שני "על מצות ומרורים יאכלוהו". נראה אפוא שמהפסוק בפרשת בא אי אפשר ללמוד זאת, שכן אפשר לומר שהמחייב של מרור הוא הלילה, שהרי כתוב "ואכלו את הבשר בלילה הזה צלי אש ומצות על מרורים יאכלוהו", וניתן לומר שקדושת היום של "הלילה" מחייבת אכילת פסח, מצה ומרור, וגם בלי הפסח יש חיוב לאכול מרור. אבל בפסח שני הרי אין בו שום קדושת היום, ולכן רק הפסוק העוסק בפסח שני יכול ללמדנו שהחיוב לאכול מרור קיים אך ורק כשיש קרבן פסח, ואם אין קרבן פסח אין מצוה לאכול מרור.

אפיקומן

הגמרא בפסחים (דף קיט:) אומרת: "אמר רב יהודה אמר שמואל: אין מפטירין אחר המצה אפיקומן". הרשב"ם מבאר שבזמן המקדש היו אוכלים מצה, מרור וקרבן פסח רק בסוף הסעודה, ובזמן הזה שאין לנו קרבן פסח אוכלים מצה לאפיקומן זכר למצה הנאכלת עם הפסח בזמן המקדש. הרא"ש (ערבי פסחים סימן ל"ד) חולק על הרשב"ם וכותב: "דאותה מצה אינה לשם חובה אלא אוכלין אותה זכר לקרבן פסח שהיה נאכל על השובע באחרונה ולפי שהוא זכר לפסח יש ליתן לה דין הפסח שלא לאכול אחריה". לפי זה מעיקר הדין מותר לאכול בזמן הזה אחר האפיקומן, וזה שאין אוכלים הוא רק זכר לדין במקדש שאין אוכלים אחר הפסח.

הרמב"ם (פרק ח הלכה ט) כותב: "ואחר כך נמשך בסעודה ואוכל כל מה שהוא רוצה לאכול ושותה כל מה שהוא רוצה לשתות. ובאחרונה אוכל מבשר הפסח ואינו טועם אחריו כלל ובזמן הזה אוכל כזית מצה ואינו טועם אחריה כלום כדי שיהיה הפסק סעודתו וטעם בשר הפסח או המצה בפיו שאכילתן היא המצוה". לדעתו אוכלים מבשר הפסח פעמיים, פעם ראשונה בתחילת הסעודה מיד אחרי המצה והמרור (פרק ח הלכה ו) ופעם שניה כזית פסח אחרי הסעודה, ובזמן הזה אוכלים אחרי הסעודה כזית מצה לא כזכר למקדש אלא מעיקר הדין, ואין אוכלים אחרי הפסח או המצה כלום כדי שיהיה טעם הפסח או המצה בפיו. הרא"ש והרמב"ם אינם מסבירים מדוע צריכים שטעם הפסח או המצה ישארו בפיו. ביאר מורנו שבתחילת ההגדה נאמר לגבי זמן מצות

סיפור יציאת מצרים "בעבור זה לא אמרתי אלא בשעה שיש מצה ומרור מונחים לפניך", ואכן התיאור של הנסים והנפלאות שנעשו לאבותינו במצרים נעשה בשעה שהמצה והמרור מונחים לפנינו. אבל יש חלק שני של מצות סיפור יציאת מצרים והוא אמירת הלל והודאה לקב"ה, כדברי הרמב"ם בספר המצוות (מצות עשה קנ"ז): "כל מה שיוסיף במאמר ויאריך הדברים בהגדלת מה שעשה לנו השם... ובהודות לו יתברך על מה שגמלנו מחסדיו יהיה יותר טוב", ובחלק זה אין המצה והמרור מונחים לפנינו, שהרי כבר אכלנו אותם. לכן דורשת הגמרא שיהיה טעם הפסח או המצה בפיו כדי לצרף את ההלל למצה ולמרור. זו כוונת הרמב"ם במה שכותב בסוף ההלכה שאכילתו **היא המצוה**, דהיינו מצות סיפור הכוללת גם אמירת הלל.

בדרך זו מובנת שיטת בעל המאור (פסחים דף כו: בדפי הרי"ף) שהאיסור להפטיר אחר הפסח או המצה אפיקומן מוגבל לאמירת ההלל, ולאחר אמירת ההלל מותר לאכול הכל. [בעל המאור עצמו מסביר את האיסור לאכול אחר אפיקומן בצורה אחרת: "לפי שהיו כל ישראל בזמן המקדש לפנים מן החומה והיה המקום צר להם ומפני דוחק המקום היו צריכים לזוז ממקומן אחר אכילתן מיד ועולים לראש גגותיהם לומר את ההלל. לפיכך חשו חכמים שלא ישכחו מלומר הלל לכך אסרו להפטיר אחר אפיקומן שלא לפכח טעם הפסח והנהיגו הדבר אף לחורבן הבית במצה זכר למקדש.] לפי דברי מורנו שכל מהות הדין שאין מפטירין אחר הפסח או המצה הוא כדי לקשר את מצות האכילה לאמירת ההלל מובן היטב מדוע אחר שכבר נאמר ההלל שוב אין סיבה שלא לאכול.

גם שיטת רוב הראשונים שהאיסור לאכול אחר אפיקומן נמשך עד סוף הלילה מובנת לפי דברי מורנו, שכן גם לאחר סיום הסדר יש אפשרות לקיים מצות סיפור במשך כל הלילה, כפי שמצינו בהגדה שהתנאים היו מסובין בבני ברק והיו מספרין ביציאת מצרים **כל אותו הלילה.** לכן כדי שתהיה אפשרות לקשר את הסיפור של כל הלילה למצה ולמרור הכרחי שישאר הטעם בפיו עד שיעלה עמוד השחר, ובכך מתקיים הדין של "והגדת לבנך... בעבור זה לא אמרתי אלא בשעה שיש מצה ומרור מונחים לפניך".

בדרך זו ניתן להבין כיצד מותר לאכול סעודה אחרי אכילת מצה ומרור, שכן אם לא היה דין של אפיקומן אכן היה אסור לאכול שום דבר אחרי המצה והמרור מפני שאכילה זו מנתקת את הקשר בין ההלל לבין המצה והמרור. אבל מכיון שיש דין של אפיקומן, כדי שישאר טעם הפסח או המצה בפיו, אין מניעה לאכול סעודה באמצע הסדר.

בכך מתורצת קושיית הרב יצחק ליכטנשטיין בהגדת שיח הגרי"ד (דף פו) מדוע אין נוהגים כדברי רש"י בפסחים (לו. ד"ה שעונין) שלחם עוני פירושו שגומרין עליו את ההלל ואומרים עליו את ההגדה, ולא מצינו שבשעת קריאת ההלל משאירים את המצה על השלחן. הוא מתרץ שכוונת רש"י רק לחלק הראשון של ההלל שאומרים במגיד בזמן שהמצה מונחת לפנינו, אך לפי דברינו ניתן לומר שכוונת רש"י להלל בשלמותו, ואין צורך שהמצה תהיה על השלחן מפני שהאפיקומן שמשאיר את טעם המצה בפיו יש בו כדי לקיים את הדין של לחם שעונין עליו דברים הרבה, כולל ההלל.

מוציא מצה

ידועה המחלוקת בין הרמב"ם (פרק ח הלכה ו) והרי"ף (פסחים דף כה: בדפיו) הסוברים שנוטלים רק שתי מצות בליל הפסח, לבין התוספות (פסחים דף קטז.) הסוברים שמברכים על שלוש מצות. בהגדת שיח הגרי"ד מוסברת המחלוקת בטוב טעם, שלדעת התוספות יש דין של לחם משנה בנוסף לדין של לחם עוני שמצריך פרוסה בליל הפסח, ולדעת הרי"ף והרמב"ם הדין של לחם עוני עוקר לגמרי את הדין של לחם משנה, והצורך במצה אחת שלמה היא משום שלכתחילה אפילו בימות החול ראוי לברך ברכת המוציא על פת שלמה כדברי הגמרא במסכת ברכות (דף לט) וכפי שפוסק הרמב"ם (הלכות ברכות פרק ז הלכה ד).

המחבר (אורח חיים סימן תעה) פוסק: "ויאכלם בהסיבה ביחד כזית מכל אחד, ואם אינו יכול לאכול שני כזיתים ביחד יאכל של המוציא תחילה ואח"כ של אכילת מצה". לפי התוספות מובן מדוע מצריך המחבר לאכול שני כזיתים, שהרי יש כאן שני חיובים שונים, חיוב של לחם משנה כמו בכל שבת וחג, וחיוב של לחם עוני המיוחד לפסח. אבל לפי הרמב"ם שיש רק חיוב של לחם עוני ודין השלמה הוא מצד "זה קלי ואנוהו", העדיפות של השלמה נוגעת רק לברכה ולא לאכילה, ולשיטתו לכאורה אין צורך לאכול כזית מן השלמה ודי באכילת כזית אחד. אבל יש הסבר נוסף לכך שצריכים לאכול שני כזיתים. נוהגים לכנות את כל ימי החג בשם חג הפסח, אבל התורה מכנה רק את יום י"ד בניסן "חג הפסח". את הפסוק (שמות יב, יג–יד) "והיה הדם לכם לאות על הבתים אשר אתם שם וראיתי את הדם ופסחתי עליכם... והיה היום הזה לכם לזכרון **וחגתם אותו** חג לה' לדורותיכם חוקת עולם תחגוהו" מפרש אבן עזרא בניגוד לרש"י שהחג הוא חג הפסח דהיינו י"ד, כפי שנאמר בפרשת פנחס (במדבר כח, טז): "ובחדש הראשון בארבעה עשר יום לחדש פסח לה' ", ויתר ימי החג המתחילים בט"ו בניסן נקראים בלשון התורה תמיד בשם חג המצות. חג הפסח הוא אם כן יום ששוחטים בו את הפסח, ואת הפסח אוכלים בלילה ביחד עם מצה ומרור, אך יש חיוב נוסף לאכול מצה לבד כפי שנאמר בפסוק "בערב תאכלו מצות". לכן ניתן לומר שאנו אוכלים שני כזיתים, אחד לשם מצות "בערב תאכלו מצות" ואחד לזכר המצה הנאכלת עם הפסח.

ארבע כוסות על סדר הברכות

ידועה המחלוקת בין התוספות לבין הרמב"ם בהגדרת מצות ארבע כוסות. לפי התוספות (פסחים דף צט.) המצוה היא לומר ארבע ברכות על הכוס, ולכן אחד יכול להוציא את חברו בארבע כוסות מדין שומע כעונה כשם שיכול להוציאו ידי חובת מצות קידוש בכל ליל שבת. התוס' מדייקים מהמשנה שאומרת "ולא יפחתו **לו** מארבע כוסות" ומשמע שנותנים לעני רק ארבע כוסות אף על פי שבני משפחתו מרובים. אבל הרמב"ם (פרק ח הלכה א) כותב "בתחילה מוזגין כוס לכל אחד ואחד ומברך...**ושותה**", כלומר שבנוסף לאמירת ארבע ברכות על הכוס יש חיוב מיוחד לשתות ארבע כוסות. מסתבר שגם הרמב"ם מודה שיש קשר בין כל כוס וכוס לבין הברכה הנאמרת לפני שתיית כל כוס. אכן בכוס השניה ובכוס הרביעית הקשר המיוחד לליל פסח ברור ונראה לעין,

שהרי את הכוס השניה שותים אחרי אמירת ההגדה וברכת "אשר גאלנו" ואת הכוס הרביעית שותים אחרי אמירת ההלל וחתימת "מלך מהלל בתשבחות" או ברכת ישתבח. אבל צריך להבין מה הקשר המיוחד בין הקידוש, שאחריו שותים את הכוס הראשונה, וברכת המזון, שאחריה שותים את הכוס השלישית, לחג הפסח. יש להסביר זאת על פי דברי הרמב"ם (פרק ז הלכה ד) "ומסיים בדת האמת שקרבנו לעבודתו **והבדילנו מהאומות וקרבנו ליחודו**", ועניין זה נזכר דוקא בנוסח הקידוש "אשר בחר בנו מכל עם ורוממנו מכל לשון וקדשנו במצותיו". לפי זה נראה לחדש שיש הבדל בין קידוש בליל פסח לבין קידוש בכל שבת וחג, לעניין השאלה האם יוצאים ידי חובת קידוש מדאורייתא בתפילה והחיוב לקדש על יין הוא רק מדרבנן, או שהחיוב מדאורייתא כולל סידור הקידוש על יין. רבי עקיבא איגר מוסיף על דברי המגן אברהם (סי' רעא סק"א) שרבנן תקנו קידוש על היין "לכאורה לאו דוקא תפילה אלא דכל שמזכיר שבת ואמר שבתא טבא גם כן יוצא", ולפי דברינו יתכן שבאמירה זו יוצא רק בלילי שבתות ובלילי החג, אבל בליל פסח לא יוצאים באמירת "חג שמח" או "גוט יום טוב" מפני שצריכים לבטא את הקשר בין הקידוש ובין ארבע כוסות, ולכן חייבים לומר את הניסוח של הקידוש "אשר בחר בנו מכל עם". באשר לברכת המזון, נראה שהקשר למצות סיפור יציאת מצרים הוא באמירת "על שהוצאתנו מארץ מצרים ופדיתנו מבית עבדים". לפי זה יתכן שגם דברי הגמרא בברכות (דף מט.) "כל שאינו אומר ברית ותורה בברכת הארץ ומלכות בית דוד בבונה ירושלים לא יצא ידי חובתו", שמהם משמע שהזכרת יציאת מצרים אינה מעכבת, אינם חלים על ליל פסח שבו בברכת המזון יש חיוב לבטא את הקשר ליציאת מצרים כמו בשאר הברכות הסמוכות לשתיית הכוסות.

אפיית מצה בערב פסח שחל בשבת

המרדכי בפסחים (סי' תקמג) כותב: "נשאל לר' שמשון משאנץ כשחל הפסח להיות באחד בשבת אם אסור לאפות המצות מיום ששי. והשיב דאסור משום דאיתקש לפסח דאמרינן בערבי פסחים (דף קכ) אכל מצה לאחר חצות לר' אלעזר בן עזריה לא יצא דאיתקש לפסח". גם רב יהודאי גאון כותב שאסור, וזה לשונו: "פסח שחל להיות באחד בשבת לא תאפו מצות מפני מראית עין ואף על פי שמותר לאפות בערב שבת מכל מקום נראה כמכין משבת ליום טוב והדרו המצוה ואפו אותה במוצאי שבת בזמנה ותאכלו בזמנה... ובא מעשה לפני מורי ר' יחיאל מפריש והתיר... והקישא דמצה לפסח לא הויא אלא לענין אכילה ולא לענין אפייה. אמנם שלש מצות של מצוה יש לאפות בליל פסח במוצאי שבת משום חביבה מצוה בשעתה". על דברי הר"ש שהסיבה שאסור לאפות המצות בערב שבת, י"ג בניסן, היא ההיקש בין מצה לפסח, יש להקשות איך אם כן מותר לאפות את המצות במוצאי שבת שהוא כבר ט"ו בניסן, הרי הפסח נשחט אך ורק בי"ד בין הערבים, ואם כן גם כשאופים בליל מוצאי שבת לא מקיימים את ההיקש של מצה לפסח. מטעם זה דחה הגר"א לגמרי את הדין של אפיית מצות מצוה בערב פסח, שכיון שבלתי אפשרי לאפות מצה כשחל ערב פסח בשבת, אין שום מצוה מיוחדת באפיית מצה בערב פסח ואפילו כשהוא חל בימות החול. גם דברי רב יהודאי גאון שמעיקר הדין אפשר לאפות את המצות ביום שישי אלא שאין לעשות כן

משום מראית עין טעונים הסבר לאיזה מראית עין הוא מתכוון. כמו כן יש להקשות על ר' יחיאל מפריש שמתיר מעיקר הדין לאפות מצות מצוה ביום שישי אלא שמציע לדחות את אפייתן לליל הסדר משום חביבה מצוה בשעתה, מדוע החביבות היא לעשות את המצוה דוקא בליל ט"ו ולא קודם לכן ביום י"ג. בקצירת העומר מובן הדין של חביבה מצוה בשעתה, שכן בדרך כלל קוצרים את העומר בליל ט"ז בניסן, ואם חל ט"ז בשבת הרמב"ם פוסק שיכולים לקצור את העומר בליל ט"ז בשבת משום שחביבה מצוה בשעתה, אף שעומר שנקצר ביום כשר והיו יכולים לקצור בערב יום טוב ולמנוע חילול שבת. אבל כאן אין לכאורה שום מצוה באפיית המצות דוקא בליל ט"ו.

ביאר מורנו שהמצוה של שימור המצה מדין "ושמרתם את המצות" יכולה לחול רק בזמן שחל כבר איסור חמץ, שכן רק בזמן שהתורה אוסרת חמץ יש משמעות הלכתית למצה, וכל זמן שהחמץ מותר המצה היא סתם לחם. ראיה לכך ניתן להביא משיטת בעל המאור (דף טו בדפי הרי"ף) שדברי הירושלמי שהאוכל מצה בערב פסח כבועל ארוסתו בבית חמיו אינם אלא באוכל משש שעות ולמעלה, אבל לפני שש שעות מותר מפני שבזמן שאין איסור חמץ בלתי אפשרי לאסור מצה. כך מוכח גם מהמנהג של בני עדות המזרח שכל השנה מברכים על מצה "בורא מיני מזונות" ורק בפסח מברכים עליה "המוציא", מכאן שבלי איסור חמץ חסר למצה שם פת ולכן מברכים עליה "בורא מיני מזונות". לפי זה ניתן לומר שהסיבה שאפיית המצות נעשית בערב פסח איננה ההיקש לקרבן פסח אלא דין במצות שימור, כלומר שאפיית מצה לשם מצוה צריכה להיעשות בזמן שכבר חל איסור חמץ. לכן בשנה רגילה שחל ערב פסח בימות החול אופים את מצות המצוה לאחר חצות היום שאז מתחיל איסור חמץ מדאורייתא, אבל כשחל ערב פסח בשבת אי אפשר לאפות בשבת מפני שאפיית המצות אינה דוחה שבת, וגם ביום שישי אין לאפות מכיון שעדיין לא הגיע זמן איסור חמץ, ולכן לדעת הר"ש אופים במוצאי שבת. לעומת זאת, רב יהודאי גאון סובר שמעיקר הדין אפשר לאפות את המצות מתי שרוצים, מפני שמצות שימור המצות חלה תמיד בערב פסח בחצות, גם אם נאפו מקודם. לכן בשנה רגילה אפילו אם אופים את המצות בראש חדש ניסן השם שימור חל בערב פסח בחצות. אבל אם חל י"ד בשבת הרי הוא נראה כמכין משבת ליום טוב מכיון שהשימור חל בשבת שהוא ערב יום טוב. אמנם כיון שבפועל לא נעשית שום פעולה בשבת אין זה נחשב להכנה ממש, אך הוא נראה כמכין, ולכן גם לדעתו העצה הטובה ביותר היא לדחות את האפייה למוצאי שבת. זהו גם ההסבר לדברי ר' יחיאל, שאמנם מעיקר הדין אפשר לאפות גם לפני י"ד, וכשיגיע י"ד שבו חל איסור חמץ יחול בו גם שם שימור לשמה, אך כיון שחביבה מצוה בשעתה עדיף לעשות את עצם פעולת המצוה בזמן שקיומה חל, ולכן אם חל ערב פסח בשבת אופים את המצות במוצאי שבת בזמן שבודאי כבר חל איסור חמץ, וממילא יחול השם שימור באותו רגע.

אחרי השיעור אמר רבנו ביידיש: "פאר דעם בין איך ווערט א שנאפס".

ברכה על כרפס

הרמב"ם (הלכות חמץ ומצה פרק ח הלכה ב) כותב: "מתחיל ומברך בורא פרי האדמה ולוקח ירק ומטבל אותו בחרוסת ואוכל כזית". השאלה היא מדוע נצרך הרמב"ם לומר שמברכים בפה"א, הלא הדבר ברור שמי שאוכל ירקות חייב לברך בורא פרי האדמה. אכן המגיד משנה מבאר שכוונתו לחדש שאינו מברך אחריו, ולכן מדגיש הרמב"ם שמברך לפניה אבל לא לאחריה אף על פי שהרמב"ם מצריך לאכול כזית. אולם אפשר לומר שהחידוש הוא שאף שבדרך כלל הברכה שמברכים לפני האכילה גדרה הוא ברכת הנהנין, כאן ברכת הנהנין הופכת להיות חלק של המצוה. כעין זה מצינו בקידוש שברכת בורא פרי הגפן היא לא סתם ברכת הנהנין אלא היא נחשבת חלק אינטגרלי של הקידוש. ידוע פסקו של הגרי"ז שמי שנכנס באמצע הבדלה לאחר שהמבדיל כבר בירך בורא פרי הגפן ושמע את שאר ברכות ההבדלה חייב להבדיל שוב מפני שלא שמע ברכת בורא פרי הגפן, ובמסגרת ההבדלה הברכה הזו היא חלק של המצוה. כך גם בכרפס, מכיון שהאכילה היא מצוה ברכת בורא פרי האדמה איננה סתם ברכת הנהנין אלא היא חלק של המצוה, ואת זה מדגיש הרמב"ם כשכותב שמתחיל ומברך בורא פרי האדמה.

צָפוּן

לוקחים מן המצה השלישית הצפונה לאפיקומן ואוכלים כזית בהסיבה.
נוהגים לאוכלה קודם חצות.

בָּרֵךְ

מוזגים כוס שלישי נוטלים מים אחרונים ומברכים ברכת המזון

שִׁיר הַמַּעֲלוֹת בְּשׁוּב יְיָ אֶת שִׁיבַת צִיּוֹן הָיִינוּ כְּחֹלְמִים: אָז יִמָּלֵא שְׂחוֹק פִּינוּ וּלְשׁוֹנֵנוּ רִנָּה אָז יֹאמְרוּ בַגּוֹיִם הִגְדִּיל יְיָ לַעֲשׂוֹת עִם אֵלֶּה: הִגְדִּיל יְיָ לַעֲשׂוֹת עִמָּנוּ הָיִינוּ שְׂמֵחִים: שׁוּבָה יְיָ אֶת שְׁבִיתֵנוּ כַּאֲפִיקִים בַּנֶּגֶב: הַזֹּרְעִים בְּדִמְעָה בְּרִנָּה יִקְצֹרוּ: הָלוֹךְ יֵלֵךְ וּבָכֹה נֹשֵׂא מֶשֶׁךְ הַזָּרַע בֹּא יָבֹא בְרִנָּה נֹשֵׂא אֲלֻמֹּתָיו:

שלושה שאכלו כאחד חייבים לזמן:

המזמן אומר: רַבּוֹתַי נְבָרֵךְ

המסובין: יְהִי שֵׁם יְיָ מְבוֹרָךְ מֵעַתָּה וְעַד עוֹלָם.

המזמן: יְהִי שֵׁם יְיָ מְבוֹרָךְ מֵעַתָּה וְעַד עוֹלָם.

בִּרְשׁוּת מָרָנָן וְרַבָּנָן וְרַבּוֹתַי, נְבָרֵךְ (בעשרה: אֱלֹהֵינוּ) שֶׁאָכַלְנוּ מִשֶּׁלּוֹ.

המסובין: בָּרוּךְ (אֱלֹהֵינוּ) שֶׁאָכַלְנוּ מִשֶּׁלּוֹ וּבְטוּבוֹ חָיִינוּ.

המזמן: בָּרוּךְ (אֱלֹהֵינוּ) שֶׁאָכַלְנוּ מִשֶּׁלּוֹ וּבְטוּבוֹ חָיִינוּ.

TZAFUN

After the meal, the Afikoman is divided among all of the participants to be eaten in a reclining position. The Afikoman should be eaten before the midpoint of the night. No food or drink, other than the last two cups of wine, should be consumed after the eating of the Afikoman.

BAREKH

A song of Ascents. When the Lord returns the captives of Zion, we will be like dreamers. Then our mouth will be filled with laughter, and our tongue with joyous song. Then will they say among the nations, "The Lord has done great things for these." The Lord has done great things for us, we were joyful. Lord, return our captivity like water-springs in the southern desert. Those who sow with tears will reap with great joy. Though he goes on his way weeping as he carries the seeds through the field, he will return singing, bearing his sheaves.

When Birkat Hamazon is said with a quorum of three or more, the leader begins here.
With a quorum of ten or more, the words in parentheses are added:

LEADER: Gentlemen, let us say Grace!

OTHERS: May the Name of the Lord be blessed from now and forever.

LEADER: Blessed be the name of the Lord from now and forever. With the permission of the masters, teachers and gentlemen, let us bless (our God), from whose abundance we have eaten.

OTHERS: Blessed is (our God), from whose abundance we have eaten and through whose goodness we live.

LEADER: Blessed is (our God), from whose abundance we have eaten and through whose goodness we live.

בָּרוּךְ הוּא וּבָרוּךְ שְׁמוֹ:

אם אין זימון, מתחילים כאן:

בָּרוּךְ אַתָּה יְיָ, אֱלֹהֵינוּ מֶלֶךְ הָעוֹלָם, הַזָּן אֶת הָעוֹלָם כֻּלּוֹ בְּטוּבוֹ בְּחֵן בְּחֶסֶד וּבְרַחֲמִים הוּא נוֹתֵן לֶחֶם לְכָל בָּשָׂר כִּי לְעוֹלָם חַסְדּוֹ. וּבְטוּבוֹ הַגָּדוֹל תָּמִיד לֹא חָסַר לָנוּ, וְאַל יֶחְסַר לָנוּ מָזוֹן לְעוֹלָם וָעֶד. בַּעֲבוּר שְׁמוֹ הַגָּדוֹל, כִּי הוּא אֵל זָן וּמְפַרְנֵס לַכֹּל וּמֵטִיב לַכֹּל, וּמֵכִין מָזוֹן לְכָל בְּרִיּוֹתָיו אֲשֶׁר בָּרָא. בָּרוּךְ אַתָּה יְיָ, הַזָּן אֶת הַכֹּל:

נוֹדֶה לְּךָ יְיָ אֱלֹהֵינוּ עַל שֶׁהִנְחַלְתָּ לַאֲבוֹתֵינוּ, אֶרֶץ חֶמְדָּה טוֹבָה וּרְחָבָה, וְעַל שֶׁהוֹצֵאתָנוּ יְיָ אֱלֹהֵינוּ מֵאֶרֶץ מִצְרַיִם, וּפְדִיתָנוּ, מִבֵּית עֲבָדִים, וְעַל בְּרִיתְךָ שֶׁחָתַמְתָּ בִּבְשָׂרֵנוּ וְעַל תּוֹרָתְךָ שֶׁלִּמַּדְתָּנוּ, וְעַל חֻקֶּיךָ שֶׁהוֹדַעְתָּנוּ וְעַל חַיִּים חֵן וָחֶסֶד שֶׁחוֹנַנְתָּנוּ, וְעַל אֲכִילַת מָזוֹן שָׁאַתָּה זָן וּמְפַרְנֵס אוֹתָנוּ תָּמִיד, בְּכָל יוֹם וּבְכָל עֵת וּבְכָל שָׁעָה:

וְעַל הַכֹּל יְיָ אֱלֹהֵינוּ אֲנַחְנוּ מוֹדִים לָךְ, וּמְבָרְכִים אוֹתָךְ, יִתְבָּרַךְ שִׁמְךָ בְּפִי כָּל חַי תָּמִיד לְעוֹלָם וָעֶד. כַּכָּתוּב, וְאָכַלְתָּ וְשָׂבָעְתָּ, וּבֵרַכְתָּ אֶת יְיָ אֱלֹהֶיךָ עַל הָאָרֶץ הַטֹּבָה אֲשֶׁר נָתַן לָךְ. בָּרוּךְ אַתָּה יְיָ, עַל הָאָרֶץ וְעַל הַמָּזוֹן:

Blessed is He and blessed is His Name.

If there is no quorum, the Birkat Hamazon begins here:

Blessed are You, Lord our God, King of the universe, who, in His goodness, nourishes the whole world with grace, with kindness, and with compassion. He gives nourishment to all flesh, for His kindness is eternal. And through His great goodness we have never lacked, and may we never lack food forever – for the sake of His great Name. For He is a God who provides and sustains all, does good to all, and prepares food for all His creatures whom He has created. Blessed are You, Lord, who provides food for all.

We thank You, Lord our God, for having given as an inheritance to our fathers a desirable, good and spacious land; for having brought us out, Lord our God, from the land of Egypt and redeemed us from the house of slavery; for Your covenant which You have sealed in our flesh; for Your Torah which You have taught us; for Your statutes which You have made known to us; for the life, favor and kindness which You have graciously bestowed upon us; and for the food which You provide for us and sustain us with constantly, in every day, in every season, and in every hour.

For all this, Lord our God, we thank You and bless You. May Your Name be blessed by the mouth of every living being, constantly and forever. As it is written: "When you have eaten and are satiated, you shall bless the Lord your God, for the good land which He has given you." Blessed are You, Lord, for the land and for the food.

רַחֵם נָא יְיָ אֱלֹהֵינוּ, עַל יִשְׂרָאֵל עַמֶּךָ, וְעַל יְרוּשָׁלַיִם עִירֶךָ, וְעַל צִיּוֹן מִשְׁכַּן כְּבוֹדֶךָ, וְעַל מַלְכוּת בֵּית דָּוִד מְשִׁיחֶךָ, וְעַל הַבַּיִת הַגָּדוֹל וְהַקָּדוֹשׁ שֶׁנִּקְרָא שִׁמְךָ עָלָיו. אֱלֹהֵינוּ, אָבִינוּ, רְעֵנוּ, זוּנֵנוּ, פַּרְנְסֵנוּ, וְכַלְכְּלֵנוּ, וְהַרְוִיחֵנוּ, וְהַרְוַח לָנוּ יְיָ אֱלֹהֵינוּ מְהֵרָה מִכָּל צָרוֹתֵינוּ, וְנָא עַל תַּצְרִיכֵנוּ, יְיָ אֱלֹהֵינוּ, לֹא לִידֵי מַתְּנַת בָּשָׂר וָדָם, וְלֹא לִידֵי הַלְוָאָתָם. כִּי אִם לְיָדְךָ הַמְּלֵאָה, הַפְּתוּחָה, הַקְּדוֹשָׁה וְהָרְחָבָה, שֶׁלֹּא נֵבוֹשׁ וְלֹא נִכָּלֵם לְעוֹלָם וָעֶד:

בשבת:

רְצֵה וְהַחֲלִיצֵנוּ יְיָ אֱלֹהֵינוּ בְּמִצְוֹתֶיךָ וּבְמִצְוַת יוֹם הַשְּׁבִיעִי הַשַּׁבָּת הַגָּדוֹל וְהַקָּדוֹשׁ הַזֶּה. כִּי יוֹם זֶה גָּדוֹל וְקָדוֹשׁ הוּא לְפָנֶיךָ, לִשְׁבָּת בּוֹ וְלָנוּחַ בּוֹ בְּאַהֲבָה כְּמִצְוַת רְצוֹנֶךָ וּבִרְצוֹנְךָ הָנִיחַ לָנוּ יְיָ אֱלֹהֵינוּ, שֶׁלֹּא תְהֵא צָרָה וְיָגוֹן וַאֲנָחָה בְּיוֹם מְנוּחָתֵנוּ. וְהַרְאֵנוּ יְיָ אֱלֹהֵינוּ בְּנֶחָמַת צִיּוֹן עִירֶךָ, וּבְבִנְיַן יְרוּשָׁלַיִם עִיר קָדְשֶׁךָ, כִּי אַתָּה הוּא בַּעַל הַיְשׁוּעוֹת וּבַעַל הַנֶּחָמוֹת:

Have mercy, Lord our God, upon Israel Your people, upon Jerusalem Your city, upon Zion the abode of Your glory, upon the kingship of the house of David, Your anointed; and upon the great and holy House upon which Your Name is called. Our God, our Father, our Shepherd, tend us, provide for us, sustain us, support us, and speedily grant us, Lord our God, relief from all our troubles. Lord our God, please do not make us dependent upon the gifts of mortal men nor upon their loans, but only upon Your full, open, holy and generous hand, that we may not be shamed or disgraced forever and ever.

The following paragraph is included on Shabbat:

May it please You, God, our Lord, to give us rest, through Your commandments and through the commandment of the seventh day, this great and holy Shabbat. For this day is great and holy before You, to refrain from work on it and to rest on it with love, in accordance with Your will. May it be Your will, God our Lord, to grant us rest, that there shall be no distress, grief or moaning on this day of our rest. And show us God our Lord, the consolation of Zion Your city, and the rebuilding of Jerusalem Your holy city, for You are the Master of salvation and the Master of consolation.

אֱלֹהֵינוּ וֵאלֹהֵי אֲבוֹתֵינוּ, יַעֲלֶה וְיָבֹא וְיַגִּיעַ, וְיֵרָאֶה, וְיֵרָצֶה, וְיִשָּׁמַע, וְיִפָּקֵד, וְיִזָּכֵר זִכְרוֹנֵנוּ וּפִקְדוֹנֵנוּ, וְזִכְרוֹן אֲבוֹתֵינוּ, וְזִכְרוֹן מָשִׁיחַ בֶּן דָּוִד עַבְדֶּךָ, וְזִכְרוֹן יְרוּשָׁלַיִם עִיר קָדְשֶׁךָ, וְזִכְרוֹן כָּל עַמְּךָ בֵּית יִשְׂרָאֵל לְפָנֶיךָ, לִפְלֵיטָה לְטוֹבָה לְחֵן וּלְחֶסֶד וּלְרַחֲמִים, לְחַיִּים וּלְשָׁלוֹם בְּיוֹם חַג הַמַּצּוֹת הַזֶּה. זָכְרֵנוּ יְיָ אֱלֹהֵינוּ בּוֹ לְטוֹבָה. וּפָקְדֵנוּ בוֹ לִבְרָכָה. וְהוֹשִׁיעֵנוּ בוֹ לְחַיִּים. וּבִדְבַר יְשׁוּעָה וְרַחֲמִים, חוּס וְחָנֵּנוּ וְרַחֵם עָלֵינוּ וְהוֹשִׁיעֵנוּ, כִּי אֵלֶיךָ עֵינֵינוּ, כִּי אֵל מֶלֶךְ חַנּוּן וְרַחוּם אָתָּה:

וּבְנֵה יְרוּשָׁלַיִם עִיר הַקֹּדֶשׁ בִּמְהֵרָה בְיָמֵינוּ. בָּרוּךְ אַתָּה יְיָ, בּוֹנֵה בְרַחֲמָיו יְרוּשָׁלָיִם. אָמֵן:

בָּרוּךְ אַתָּה יְיָ אֱלֹהֵינוּ מֶלֶךְ הָעוֹלָם, הָאֵל אָבִינוּ, מַלְכֵּנוּ, אַדִּירֵנוּ, בּוֹרְאֵנוּ, גּוֹאֲלֵנוּ, יוֹצְרֵנוּ, קְדוֹשֵׁנוּ קְדוֹשׁ יַעֲקֹב, רוֹעֵנוּ רוֹעֵה יִשְׂרָאֵל. הַמֶּלֶךְ הַטּוֹב, וְהַמֵּטִיב לַכֹּל, שֶׁבְּכָל יוֹם וָיוֹם הוּא הֵטִיב, הוּא מֵטִיב, הוּא יֵטִיב לָנוּ. הוּא גְמָלָנוּ, הוּא גוֹמְלֵנוּ, הוּא יִגְמְלֵנוּ לָעַד לְחֵן וּלְחֶסֶד וּלְרַחֲמִים וּלְרֶוַח הַצָּלָה וְהַצְלָחָה בְּרָכָה וִישׁוּעָה, נֶחָמָה, פַּרְנָסָה וְכַלְכָּלָה, וְרַחֲמִים, וְחַיִּים וְשָׁלוֹם, וְכָל טוֹב, וּמִכָּל טוּב לְעוֹלָם אַל יְחַסְּרֵנוּ:

Our God and God of our fathers, may the remembrance and consideration of us; the remembrance of our fathers; the remembrance of Mashiach; son of David, Your servant; the remembrance of Jerusalem, the city of your holiness; the remembrance of all your people, the House of Israel, ascend, come and reach, be seen and accepted, heard, and be considered, and be remembered before You, for deliverance, for goodness, for grace, for kindness, for compassion, for life, and for peace, on this day of the Festival of Matzot. Remember us, Lord our God, on this day for goodness, consider us on it for blessing; and save us on it for life. And with Your word of salvation and mercy, pity us and be gracious and compassionate with us, and save us, for our eyes are turned to You, because You are a gracious and compassionate God and King.

Rebuild Jerusalem, the holy city, speedily in our days. Blessed are You, Lord, Who in His mercy rebuilds Jerusalem. Amen.

Blessed are You, Lord our God, King of the Universe, God our Father, our King, our Sovereign, our Creator, our Redeemer, our Maker, our Holy One, the Holy One of Yaakov, our Shepherd, the Shepherd of Israel, the King Who is good and Who continually does good to all, each and every day. He has done good for us, He does good for us, and He will do good for us; He was bountiful to us, He is bountiful to us, and He will be bountiful to us forever, with grace, kindness and with mercy, and with relief, salvation and success, blessing and help, consolation, sustenance and support, and with compassion and life and peace, and all goodness; and may He never deprive us of all good things.

הָרַחֲמָן, הוּא יִמְלוֹךְ עָלֵינוּ לְעוֹלָם וָעֶד.

הָרַחֲמָן, הוּא יִתְבָּרַךְ בַּשָּׁמַיִם וּבָאָרֶץ.

הָרַחֲמָן, הוּא יִשְׁתַּבַּח לְדוֹר דּוֹרִים, וְיִתְפָּאַר בָּנוּ לָעַד וּלְנֵצַח נְצָחִים, וְיִתְהַדַּר בָּנוּ לָעַד וּלְעוֹלְמֵי עוֹלָמִים.

הָרַחֲמָן, הוּא יְפַרְנְסֵנוּ בְּכָבוֹד.

הָרַחֲמָן, הוּא יִשְׁבּוֹר עֻלֵּנוּ מֵעַל צַוָּארֵנוּ וְהוּא יוֹלִיכֵנוּ קוֹמְמִיּוּת לְאַרְצֵנוּ.

הָרַחֲמָן, הוּא יִשְׁלַח לָנוּ בְּרָכָה מְרֻבָּה בַּבַּיִת הַזֶּה, וְעַל שֻׁלְחָן זֶה שֶׁאָכַלְנוּ עָלָיו.

הָרַחֲמָן, הוּא יִשְׁלַח לָנוּ אֶת אֵלִיָּהוּ הַנָּבִיא זָכוּר לַטּוֹב, וִיבַשֶּׂר לָנוּ בְּשׂוֹרוֹת טוֹבוֹת יְשׁוּעוֹת וְנֶחָמוֹת.

הָרַחֲמָן, הוּא יְבָרֵךְ אֶת (אָבִי מוֹרִי) בַּעַל הַבַּיִת הַזֶּה, וְאֶת (אִמִּי מוֹרָתִי) בַּעֲלַת הַבַּיִת הַזֶּה,

אוֹתָם וְאֶת בֵּיתָם וְאֶת זַרְעָם וְאֶת כָּל אֲשֶׁר לָהֶם.

(אם הוא סמוך על שלחן עצמו אומר:) הָרַחֲמָן, הוּא יְבָרֵךְ אוֹתִי (וְאָבִי וְאִמִּי וְאִשְׁתִּי וְזַרְעִי) וְאֶת כָּל אֲשֶׁר לִי

אוֹתָנוּ וְאֶת כָּל אֲשֶׁר לָנוּ, כְּמוֹ שֶׁנִּתְבָּרְכוּ אֲבוֹתֵינוּ, אַבְרָהָם יִצְחָק וְיַעֲקֹב: בַּכֹּל, מִכֹּל, כֹּל. כֵּן יְבָרֵךְ אוֹתָנוּ כֻּלָּנוּ יַחַד. בִּבְרָכָה שְׁלֵמָה, וְנֹאמַר אָמֵן:

May the Merciful One reign over us forever and ever. May the Merciful One be blessed in heaven and on earth. May the Merciful One be praised for all generations, and be glorified through us forever and all eternity, and be honored through us forever and ever. May the Merciful One sustain us in honor. May the Merciful One break the yoke of exile from our neck and may He lead us upright to our land. May the Merciful One send abundant blessing into this house and upon this table at which we have eaten. May the Merciful One send us Eliyahu the Prophet, and let him bring us good tidings, salvation and consolation.

May He bless (my father and teacher) the master of this house, and (my mother and teacher) the mistress of this house – them, their household, their children, and all that is theirs.

May the Merciful One bless me, (my wife/husband, and my children,) and all that is mine.

May He bless us and all that is ours – just as our forefathers, Avraham, Yitzchak and Yaakov were blessed in everything, from everything, and with everything. So may He bless us all together with a perfect blessing, and let us say, Amen.

בַּמָּרוֹם יְלַמְּדוּ עֲלֵיהֶם וְעָלֵינוּ זְכוּת, שֶׁתְּהֵא לְמִשְׁמֶרֶת שָׁלוֹם, וְנִשָּׂא בְרָכָה מֵאֵת יְיָ וּצְדָקָה מֵאֱלֹהֵי יִשְׁעֵנוּ, וְנִמְצָא חֵן וְשֵׂכֶל טוֹב בְּעֵינֵי אֱלֹהִים וְאָדָם:

בשבת:

הָרַחֲמָן, הוּא יַנְחִילֵנוּ יוֹם שֶׁכֻּלּוֹ שַׁבָּת וּמְנוּחָה לְחַיֵּי הָעוֹלָמִים.

הָרַחֲמָן, הוּא יַנְחִילֵנוּ יוֹם שֶׁכֻּלּוֹ טוֹב. יוֹם שֶׁכֻּלּוֹ אָרוּךְ, יוֹם שֶׁצַּדִּיקִים יוֹשְׁבִים וְעַטְרוֹתֵיהֶם בְּרָאשֵׁיהֶם וְנֶהֱנִים מִזִּיו הַשְּׁכִינָה וִיהִי חֶלְקֵנוּ עִמָּהֶם:

הָרַחֲמָן, הוּא יְזַכֵּנוּ לִימוֹת הַמָּשִׁיחַ וּלְחַיֵּי הָעוֹלָם הַבָּא.

מִגְדּוֹל יְשׁוּעוֹת מַלְכּוֹ, וְעֹשֶׂה חֶסֶד לִמְשִׁיחוֹ לְדָוִד וּלְזַרְעוֹ עַד עוֹלָם: עֹשֶׂה שָׁלוֹם בִּמְרוֹמָיו, הוּא יַעֲשֶׂה שָׁלוֹם, עָלֵינוּ וְעַל כָּל יִשְׂרָאֵל, וְאִמְרוּ אָמֵן:

יְראוּ אֶת יְיָ קְדשָׁיו, כִּי אֵין מַחְסוֹר לִירֵאָיו: כְּפִירִים רָשׁוּ וְרָעֵבוּ, וְדוֹרְשֵׁי יְיָ לֹא יַחְסְרוּ כָל טוֹב: הוֹדוּ לַיְיָ כִּי טוֹב, כִּי לְעוֹלָם חַסְדּוֹ: פּוֹתֵחַ אֶת יָדֶךָ וּמַשְׂבִּיעַ לְכָל חַי רָצוֹן: בָּרוּךְ הַגֶּבֶר אֲשֶׁר יִבְטַח בַּייָ, וְהָיָה יְיָ מִבְטַחוֹ: נַעַר הָיִיתִי גַּם זָקַנְתִּי וְלֹא רָאִיתִי צַדִּיק נֶעֱזָב, וְזַרְעוֹ מְבַקֶּשׁ לָחֶם: יְיָ עֹז לְעַמּוֹ יִתֵּן, יְיָ יְבָרֵךְ אֶת עַמּוֹ בַשָּׁלוֹם:

ומברכים:

בָּרוּךְ אַתָּה יְיָ, אֱלֹהֵינוּ מֶלֶךְ הָעוֹלָם, בּוֹרֵא פְּרִי הַגָּפֶן:

ושותים כוס שלישית בהסיבה.

In heaven, may their merit and our merit be invoked as a safeguarding of peace. May we receive blessing from the Lord, and righteousness from the God of our salvation, and may we find favor and understanding in the eyes of God and man.

On Shabbat add:

May the Merciful One cause us to inherit the day which will be completely Shabbat and rest for eternal life.

May the Merciful One cause us to inherit the day which is all good.

May the Merciful One grant us the privilege of reaching the days of the Mashiach and the life of the World to Come.

He is a tower of salvation to His king, and bestows kindness upon His anointed, to David and his descendants forever. He who makes peace in His heights, may He make peace for us and for all Israel; and say, Amen.

Revere the Lord, you His holy ones, for those who revere Him lack nothing. Young lions are in need and go hungry, but those who seek the Lord shall not lack any good. Give thanks to the Lord for He is good, for His kindness is everlasting. You open Your hand and satisfy the desire of every living thing. Blessed is the man who trusts in the Lord, and the Lord will be his trust. I was a youth and also have aged, and I have not seen a righteous man forsaken and his children begging for bread. God will give strength to His people, God will bless His people with peace.

The blessing over wine is recited and then the third cup is drunk while reclining on the left side.

Blessed are You, Lord our God, King of the universe, Who creates the fruit of the vine.

מוזגים כוס של אליהו הנביא ולפני קריאת הפסוקים נוהגים לפתוח את הדלת:

שְׁפֹךְ חֲמָתְךָ אֶל־הַגּוֹיִם, אֲשֶׁר לֹא יְדָעוּךָ וְעַל־מַמְלָכוֹת אֲשֶׁר בְּשִׁמְךָ לֹא קָרָאוּ: כִּי אָכַל אֶת־יַעֲקֹב וְאֶת־נָוֵהוּ הֵשַׁמּוּ (תהילים עט, ו–ז): שְׁפָךְ־עֲלֵיהֶם זַעְמֶךָ, וַחֲרוֹן אַפְּךָ יַשִּׂיגֵם (תהילים סט, כה): תִּרְדֹּף בְּאַף וְתַשְׁמִידֵם, מִתַּחַת שְׁמֵי יְיָ (איכה ג, סו):

סוגרים הדלת.

הַלֵּל (המשך)

מוזגים כוס רביעי וגומרים עליו את ההלל:

לֹא לָנוּ יְיָ לֹא לָנוּ כִּי לְשִׁמְךָ תֵּן כָּבוֹד, עַל חַסְדְּךָ עַל אֲמִתֶּךָ. לָמָּה יֹאמְרוּ הַגּוֹיִם, אַיֵּה נָא אֱלֹהֵיהֶם. וֵאלֹהֵינוּ בַשָּׁמָיִם כֹּל אֲשֶׁר חָפֵץ עָשָׂה. עֲצַבֵּיהֶם כֶּסֶף וְזָהָב, מַעֲשֵׂה יְדֵי אָדָם. פֶּה לָהֶם וְלֹא יְדַבֵּרוּ עֵינַיִם לָהֶם וְלֹא יִרְאוּ. אָזְנַיִם לָהֶם וְלֹא יִשְׁמָעוּ, אַף לָהֶם וְלֹא יְרִיחוּן. יְדֵיהֶם וְלֹא יְמִישׁוּן, רַגְלֵיהֶם וְלֹא יְהַלֵּכוּ, לֹא יֶהְגּוּ בִּגְרוֹנָם. כְּמוֹהֶם יִהְיוּ עֹשֵׂיהֶם, כֹּל אֲשֶׁר בֹּטֵחַ בָּהֶם: יִשְׂרָאֵל בְּטַח בַּייָ עֶזְרָם וּמָגִנָּם הוּא. בֵּית אַהֲרֹן בִּטְחוּ בַייָ, עֶזְרָם וּמָגִנָּם הוּא. יִרְאֵי יְיָ בִּטְחוּ בַייָ, עֶזְרָם וּמָגִנָּם הוּא:

We pour a cup in honor of the prophet Eliyahu. It is usually poured by the leader of the Seder.

While the Cup of Eliyahu is on the table, the door is opened for the prophet Eliyahu.

Everyone rises and says the following paragraph:

Pour out Your wrath upon the nations that do not acknowledge You and upon the kingdoms that do not cry out Your Name (Tehillim 79:6-7). For they have devoured Yaakov and destroyed his habitation (Tehillim 69:55). Pour out Your anger upon them, and let Your wrath overtake them. Pursue them with wrath and annihilate them from beneath the heavens of the Lord.

(Eichah 3:66)

HALLEL

Not for us, Lord, not for us, but for Your Name's sake give honor, for Your kindness and Your truth. Why should the nations say, "Where is their God?" Our God is in the heavens, whatever He wills, He does. Their idols are of silver and gold, the product of human hands. They have a mouth, but cannot speak; they have eyes, but cannot see. They have ears, but cannot hear; they have a nose, but cannot smell; their hands cannot feel; their feet cannot walk; they can make no sound with their throat. Let those who make them become like them, whoever trusts in them! Israel, trust in the Lord! He is their help and their shield. House of Aaron, trust in the Lord! He is their help and their shield. You who fear the Lord, trust in the Lord! He is their help and their shield.

יְיָ זְכָרָנוּ יְבָרֵךְ, יְבָרֵךְ אֶת בֵּית יִשְׂרָאֵל, יְבָרֵךְ אֶת בֵּית אַהֲרֹן.
יְבָרֵךְ יִרְאֵי יְיָ, הַקְּטַנִּים עִם הַגְּדֹלִים. יֹסֵף יְיָ עֲלֵיכֶם, עֲלֵיכֶם
וְעַל בְּנֵיכֶם. בְּרוּכִים אַתֶּם לַייָ, עֹשֵׂה שָׁמַיִם וָאָרֶץ. הַשָּׁמַיִם
שָׁמַיִם לַייָ, וְהָאָרֶץ נָתַן לִבְנֵי אָדָם. לֹא הַמֵּתִים יְהַלְלוּ יָהּ,
וְלֹא כָּל יֹרְדֵי דוּמָה. וַאֲנַחְנוּ נְבָרֵךְ יָהּ, מֵעַתָּה וְעַד עוֹלָם,
הַלְלוּיָהּ: (תהלים קטו)

אָהַבְתִּי כִּי יִשְׁמַע יְיָ, אֶת קוֹלִי תַּחֲנוּנָי. כִּי הִטָּה אָזְנוֹ לִי וּבְיָמַי
אֶקְרָא: אֲפָפוּנִי חֶבְלֵי מָוֶת, וּמְצָרֵי שְׁאוֹל מְצָאוּנִי צָרָה וְיָגוֹן
אֶמְצָא. וּבְשֵׁם יְיָ אֶקְרָא, אָנָּה יְיָ מַלְּטָה נַפְשִׁי. חַנּוּן יְיָ וְצַדִּיק,
וֵאלֹהֵינוּ מְרַחֵם. שֹׁמֵר פְּתָאִים יְיָ דַּלּוֹתִי וְלִי יְהוֹשִׁיעַ.
שׁוּבִי נַפְשִׁי לִמְנוּחָיְכִי, כִּי יְיָ גָּמַל עָלָיְכִי. כִּי חִלַּצְתָּ נַפְשִׁי
מִמָּוֶת אֶת עֵינִי מִן דִּמְעָה, אֶת רַגְלִי מִדֶּחִי. אֶתְהַלֵּךְ לִפְנֵי יְיָ,
בְּאַרְצוֹת הַחַיִּים. הֶאֱמַנְתִּי כִּי אֲדַבֵּר, אֲנִי עָנִיתִי מְאֹד. אֲנִי
אָמַרְתִּי בְחָפְזִי כָּל הָאָדָם כֹּזֵב.

מָה אָשִׁיב לַייָ, כָּל תַּגְמוּלוֹהִי עָלָי. כּוֹס יְשׁוּעוֹת אֶשָּׂא, וּבְשֵׁם
יְיָ אֶקְרָא. נְדָרַי לַייָ אֲשַׁלֵּם, נֶגְדָה נָּא לְכָל עַמּוֹ. יָקָר בְּעֵינֵי יְיָ
הַמָּוְתָה לַחֲסִידָיו. אָנָּה יְיָ כִּי אֲנִי עַבְדֶּךָ אֲנִי עַבְדְּךָ, בֶּן אֲמָתֶךָ
פִּתַּחְתָּ לְמוֹסֵרָי. לְךָ אֶזְבַּח זֶבַח תּוֹדָה וּבְשֵׁם יְיָ אֶקְרָא.
נְדָרַי לַייָ אֲשַׁלֵּם נֶגְדָה נָּא לְכָל עַמּוֹ. בְּחַצְרוֹת בֵּית יְיָ בְּתוֹכֵכִי
יְרוּשָׁלָיִם הַלְלוּיָהּ. (תהלים קטז)

The Lord, who has been mindful of us, will bless – He will bless the House of Israel; He will bless the House of Aaron; He will bless those who revere the Lord, the small with the great. May the Lord increase you, you and your children. Blessed are you to the Lord, Maker of heaven and earth. The heavens are the heavens of the Lord, but the earth, He has given to mankind. The dead cannot praise God, nor any who go down into the silence of the grave. But we will bless God, from now to eternity. Halleluyah. (Tehillim 115)

I love it when the Lord hears my voice, my prayers. For He has inclined His ear to me; and in my own days I will call upon Him. The pains of death encompassed me, and the confines of the grave have found me, trouble and sorrow I encountered and I called upon the Name of the Lord: "Please, Lord, deliver my soul!" The Lord is gracious and just, our God is compassionate. The Lord watches over the simple; I was brought low, but He saved me. Return, my soul, to your resting place, for the Lord has dealt kindly with you. For You have delivered my soul from death, my eyes from tears, my feet from stumbling. I shall walk before the Lord in the land of the living. I had faith even while speaking of how I suffer so much [even though] I said in haste, "All mankind is deceitful."

How can I repay the Lord for all His kindnesses to me? I will raise the cup of salvation and call upon the Name of the Lord. I will pay my vows to the Lord in the presence of all His people. Precious in the eyes of the Lord is the death of His devout ones. Please, Lord, for I am Your servant, I am Your servant the son of Your handmaid: You have released my bonds. To You I will bring an offering of thanksgiving, and I will call upon the Name of the Lord. I will pay my vows to the Lord in the presence of all His people, in the courtyards of the House of the Lord, in the midst of Jerusalem. Halleluyah. (Tehillim 116)

הַלְלוּ אֶת יְיָ, כָּל גּוֹיִם, שַׁבְּחוּהוּ כָּל הָאֻמִּים. כִּי גָבַר עָלֵינוּ חַסְדּוֹ, וֶאֱמֶת יְיָ לְעוֹלָם הַלְלוּיָהּ: (תהלים קיז)

הוֹדוּ לַייָ כִּי טוֹב, כִּי לְעוֹלָם חַסְדּוֹ.
יֹאמַר נָא יִשְׂרָאֵל, כִּי לְעוֹלָם חַסְדּוֹ.
יֹאמְרוּ נָא בֵית אַהֲרֹן, כִּי לְעוֹלָם חַסְדּוֹ.
יֹאמְרוּ נָא יִרְאֵי יְיָ, כִּי לְעוֹלָם חַסְדּוֹ.

מִן הַמֵּצַר קָרָאתִי יָּהּ, עָנָנִי בַמֶּרְחָב יָהּ. יְיָ לִי לֹא אִירָא, מַה יַּעֲשֶׂה לִי אָדָם. יְיָ לִי בְּעֹזְרָי, וַאֲנִי אֶרְאֶה בְשֹׂנְאָי. טוֹב לַחֲסוֹת בַּייָ, מִבְּטֹחַ בָּאָדָם. טוֹב לַחֲסוֹת בַּייָ מִבְּטֹחַ בִּנְדִיבִים. כָּל גּוֹיִם סְבָבוּנִי בְּשֵׁם יְיָ כִּי אֲמִילַם. סַבּוּנִי גַם סְבָבוּנִי בְּשֵׁם יְיָ כִּי אֲמִילַם. סַבּוּנִי כִדְבֹרִים דֹּעֲכוּ כְּאֵשׁ קוֹצִים, בְּשֵׁם יְיָ כִּי אֲמִילַם. דָּחֹה דְחִיתַנִי לִנְפֹּל, וַייָ עֲזָרָנִי. עָזִּי וְזִמְרָת יָהּ, וַיְהִי לִי לִישׁוּעָה. קוֹל רִנָּה וִישׁוּעָה בְּאָהֳלֵי צַדִּיקִים, יְמִין יְיָ עֹשָׂה חָיִל. יְמִין יְיָ רוֹמֵמָה, יְמִין יְיָ עֹשָׂה חָיִל. לֹא אָמוּת כִּי אֶחְיֶה, וַאֲסַפֵּר מַעֲשֵׂי יָהּ. יַסֹּר יִסְּרַנִּי יָּהּ, וְלַמָּוֶת לֹא נְתָנָנִי. פִּתְחוּ לִי שַׁעֲרֵי צֶדֶק, אָבֹא בָם אוֹדֶה יָהּ. זֶה הַשַּׁעַר לַייָ, צַדִּיקִים יָבֹאוּ בוֹ. אוֹדְךָ כִּי עֲנִיתָנִי, וַתְּהִי לִי לִישׁוּעָה. אוֹדְךָ כִּי עֲנִיתָנִי, וַתְּהִי לִי לִישׁוּעָה. אֶבֶן מָאֲסוּ הַבּוֹנִים, הָיְתָה לְרֹאשׁ פִּנָּה. אֶבֶן מָאֲסוּ הַבּוֹנִים, הָיְתָה לְרֹאשׁ פִּנָּה. מֵאֵת יְיָ הָיְתָה זֹּאת, הִיא נִפְלָאת בְּעֵינֵינוּ. מֵאֵת יְיָ הָיְתָה זֹּאת, הִיא נִפְלָאת בְּעֵינֵינוּ. זֶה הַיּוֹם עָשָׂה יְיָ, נָגִילָה וְנִשְׂמְחָה בוֹ. זֶה הַיּוֹם עָשָׂה יְיָ, נָגִילָה וְנִשְׂמְחָה בוֹ.

Praise the Lord, all nations! Extol Him, all peoples! For His kindness has overwhelmed us, and the truth of the Lord is everlasting. Halleluyah. (Tehillim 117)

Give thanks to the Lord for He is good: His kindness is everlasting.
Let Israel say: His kindness is everlasting.
Let the House of Aaron say: His kindness is everlasting.
Let those who revere the Lord say: His kindness is everlasting.

Out of narrow confines I called to God; God answered me with abundance.... The Lord is with me, I will not fear – what can man do to me? The Lord is with me, through my helpers, and I can face my enemies. It is better to rely on the Lord than to trust in man. It is better to rely on the Lord than to trust in nobles. All the nations surround me; in the Name of the Lord I cut them down! They encircle me like bees, but they are quenched like a fire of thorns; in the Name of the Lord I cut them down. You pushed me again and again that I might fall, but the Lord helped me. God is my strength and song, and He was for me, my salvation. The sound of joyous song and salvation is in the tents of the righteous: "The right hand of the Lord performs deeds of valor." The Lord's right hand is exalted; the right hand of the Lord performs deeds of valor! I shall not die, but I shall live and relate the deeds of God. God has chastised me, but He did not let me die. Open for me the gates of righteousness – I will enter them and thank God. This is the gate of the Lord, the righteous will enter it. I thank You for You have answered me, and You brought me salvation. I thank You, for You have answered me and become my salvation. The stone scorned by the builders has become the cornerstone. The stone scorned by the builders has become the cornerstone. This thing is from the Lord, it is wondrous in our eyes. This thing is from the Lord, it is wondrous in our eyes. This is the day that the Lord has made, let us be glad and rejoice on it. This is the day that the Lord has made, let us be glad and rejoice on it.

אָנָּא יְיָ הוֹשִׁיעָה נָּא. אָנָּא יְיָ הוֹשִׁיעָה נָּא.

אָנָּא יְיָ הַצְלִיחָה נָא. אָנָּא יְיָ הַצְלִיחָה נָא.

בָּרוּךְ הַבָּא בְּשֵׁם יְיָ, בֵּרַכְנוּכֶם מִבֵּית יְיָ. בָּרוּךְ הַבָּא בְּשֵׁם יְיָ, בֵּרַכְנוּכֶם מִבֵּית יְיָ. אֵל יְיָ וַיָּאֶר לָנוּ, אִסְרוּ חַג בַּעֲבֹתִים עַד קַרְנוֹת הַמִּזְבֵּחַ. אֵל יְיָ וַיָּאֶר לָנוּ, אִסְרוּ חַג בַּעֲבֹתִים עַד קַרְנוֹת הַמִּזְבֵּחַ. אֵלִי אַתָּה וְאוֹדֶךָּ אֱלֹהַי אֲרוֹמְמֶךָּ. אֵלִי אַתָּה וְאוֹדֶךָּ אֱלֹהַי אֲרוֹמְמֶךָּ. הוֹדוּ לַייָ כִּי טוֹב, כִּי לְעוֹלָם חַסְדּוֹ. הוֹדוּ לַייָ כִּי טוֹב, כִּי לְעוֹלָם חַסְדּוֹ. (תהלים קיח)

יְהַלְלוּךָ יְיָ אֱלֹהֵינוּ כָּל מַעֲשֶׂיךָ, וַחֲסִידֶיךָ צַדִּיקִים עוֹשֵׂי רְצוֹנֶךָ, וְכָל עַמְּךָ בֵּית יִשְׂרָאֵל בְּרִנָּה יוֹדוּ וִיבָרְכוּ וִישַׁבְּחוּ וִיפָאֲרוּ וִירוֹמְמוּ וְיַעֲרִיצוּ וְיַקְדִּישׁוּ וְיַמְלִיכוּ אֶת שִׁמְךָ מַלְכֵּנוּ, תָּמִיד. כִּי לְךָ טוֹב לְהוֹדוֹת וּלְשִׁמְךָ נָאֶה לְזַמֵּר, כִּי מֵעוֹלָם וְעַד עוֹלָם אַתָּה אֵל.

O Lord, please save us! O Lord, please save us!

O Lord, please grant us success! O Lord, please grant us success!

Blessed is he who comes in the Name of the Lord; we bless you from the House of the Lord. Blessed is he who comes in the Name of the Lord; we bless you from the House of the Lord. The Lord is Almighty, He gave us light; bring the festival offering, bound with cords to the corners of the altar. The Lord is Almighty, He gave us light; bring the festival offering, bound with cords to the corners of the altar. You are my God and I will thank You; my God and I will exalt You. You are my God and I will thank You; my God and I will exalt You. Give thanks to the Lord, for He is good; His kindness is everlasting. Give thanks to the Lord, for He is good; His kindness is everlasting. (Tehillim 118)

Lord our God, all Your creations shall praise You; Your devout ones, the righteous who do Your will, and Your entire nation the House of Israel, with joyous song will thank and bless, laud and glorify, exalt and adore, sanctify and proclaim the sovereignty of Your Name, our King. For it is good to thank You, and befitting to sing to Your Name, for in this world and for eternity You are Almighty God.

הלל הגדול

הוֹדוּ לַיְיָ כִּי טוֹב, כִּי לְעוֹלָם חַסְדּוֹ:
הוֹדוּ לֵאלֹהֵי הָאֱלֹהִים, כִּי לְעוֹלָם חַסְדּוֹ:
הוֹדוּ לַאֲדֹנֵי הָאֲדֹנִים, כִּי לְעוֹלָם חַסְדּוֹ:
לְעֹשֵׂה נִפְלָאוֹת גְּדֹלוֹת לְבַדּוֹ, כִּי לְעוֹלָם חַסְדּוֹ:
לְעֹשֵׂה הַשָּׁמַיִם בִּתְבוּנָה, כִּי לְעוֹלָם חַסְדּוֹ:
לְרוֹקַע הָאָרֶץ עַל הַמָּיִם, כִּי לְעוֹלָם חַסְדּוֹ:
לְעֹשֵׂה אוֹרִים גְּדֹלִים, כִּי לְעוֹלָם חַסְדּוֹ:
אֶת הַשֶּׁמֶשׁ לְמֶמְשֶׁלֶת בַּיּוֹם, כִּי לְעוֹלָם חַסְדּוֹ:
אֶת הַיָּרֵחַ וְכוֹכָבִים לְמֶמְשְׁלוֹת בַּלָּיְלָה, כִּי לְעוֹלָם חַסְדּוֹ:
לְמַכֵּה מִצְרַיִם בִּבְכוֹרֵיהֶם, כִּי לְעוֹלָם חַסְדּוֹ:
וַיּוֹצֵא יִשְׂרָאֵל מִתּוֹכָם, כִּי לְעוֹלָם חַסְדּוֹ:
בְּיָד חֲזָקָה וּבִזְרוֹעַ נְטוּיָה, כִּי לְעוֹלָם חַסְדּוֹ:
לְגֹזֵר יַם סוּף לִגְזָרִים, כִּי לְעוֹלָם חַסְדּוֹ:
וְהֶעֱבִיר יִשְׂרָאֵל בְּתוֹכוֹ, כִּי לְעוֹלָם חַסְדּוֹ:
וְנִעֵר פַּרְעֹה וְחֵילוֹ בְיַם סוּף, כִּי לְעוֹלָם חַסְדּוֹ:
לְמוֹלִיךְ עַמּוֹ בַּמִּדְבָּר, כִּי לְעוֹלָם חַסְדּוֹ:
לְמַכֵּה מְלָכִים גְּדֹלִים, כִּי לְעוֹלָם חַסְדּוֹ:
וַיַּהֲרֹג מְלָכִים אַדִּירִים, כִּי לְעוֹלָם חַסְדּוֹ:
לְסִיחוֹן מֶלֶךְ הָאֱמֹרִי, כִּי לְעוֹלָם חַסְדּוֹ:
וּלְעוֹג מֶלֶךְ הַבָּשָׁן, כִּי לְעוֹלָם חַסְדּוֹ:
וְנָתַן אַרְצָם לְנַחֲלָה, כִּי לְעוֹלָם חַסְדּוֹ:
נַחֲלָה לְיִשְׂרָאֵל עַבְדּוֹ, כִּי לְעוֹלָם חַסְדּוֹ:
שֶׁבְּשִׁפְלֵנוּ זָכַר לָנוּ, כִּי לְעוֹלָם חַסְדּוֹ:
וַיִּפְרְקֵנוּ מִצָּרֵינוּ, כִּי לְעוֹלָם חַסְדּוֹ:
נֹתֵן לֶחֶם לְכָל בָּשָׂר, כִּי לְעוֹלָם חַסְדּוֹ:
הוֹדוּ לְאֵל הַשָּׁמָיִם, כִּי לְעוֹלָם חַסְדּוֹ: (תהלים קלו)

HALLEL

Give thanks to the Lord, for He is good for His kindness is everlasting.
Give thanks to the God of Gods for His kindness is everlasting.
Give thanks to the Master of Masters for His kindness is everlasting.
To Him who alone does great wonders for His kindness is everlasting.
To Him who made the heavens
with understanding for His kindness is everlasting.
To Him who spread out the earth
upon the waters for His kindness is everlasting.
To Him who made great lights for His kindness is everlasting.
The sun, to rule by day for His kindness is everlasting.
The moon and stars, to rule by night for His kindness is everlasting.
To Him who smote Egypt
through their firstborn for His kindness is everlasting.
And brought Israel out of their midst for His kindness is everlasting.
With a strong hand
and with an outstretched arm for His kindness is everlasting.
To Him who split
the Sea of Reeds into sections for His kindness is everlasting.
And led Israel through it for His kindness is everlasting.
And cast Pharaoh and his army
into the Sea of Reeds for His kindness is everlasting.
To Him who led His people
through the wilderness for His kindness is everlasting.
To Him who smote great kings for His kindness is everlasting.
And slew mighty kings for His kindness is everlasting.
Sichon, king of the Amorites for His kindness is everlasting.
And Og, king of Bashan for His kindness is everlasting.
And gave us their land as an inheritance for His kindness is everlasting.
An inheritance to Israel, His servant for His kindness is everlasting.
Who remembered us in our lowliness for His kindness is everlasting.
And delivered us from our oppressors for His kindness is everlasting.
Who gives food to all flesh for His kindness is everlasting.
Give thanks to the God of heavens for His kindness is everlasting. (Tehillim 136)

נִשְׁמַת כָּל חַי, תְּבָרֵךְ אֶת שִׁמְךָ יְיָ אֱלֹהֵינוּ. וְרוּחַ כָּל בָּשָׂר, תְּפָאֵר וּתְרוֹמֵם זִכְרְךָ מַלְכֵּנוּ תָּמִיד, מִן הָעוֹלָם וְעַד הָעוֹלָם אַתָּה אֵל. וּמִבַּלְעָדֶיךָ אֵין לָנוּ מֶלֶךְ גּוֹאֵל וּמוֹשִׁיעַ, פּוֹדֶה וּמַצִּיל וּמְפַרְנֵס וּמְרַחֵם, בְּכָל עֵת צָרָה וְצוּקָה. אֵין לָנוּ מֶלֶךְ אֶלָּא אָתָּה: אֱלֹהֵי הָרִאשׁוֹנִים וְהָאַחֲרוֹנִים, אֱלוֹהַּ כָּל בְּרִיּוֹת, אֲדוֹן כָּל תּוֹלָדוֹת, הַמְהֻלָּל בְּרֹב הַתִּשְׁבָּחוֹת, הַמְנַהֵג עוֹלָמוֹ בְּחֶסֶד וּבְרִיּוֹתָיו בְּרַחֲמִים. וַיְיָ לֹא יָנוּם וְלֹא יִישָׁן, הַמְעוֹרֵר יְשֵׁנִים וְהַמֵּקִיץ נִרְדָּמִים, וְהַמֵּשִׂיחַ אִלְּמִים, וְהַמַּתִּיר אֲסוּרִים, וְהַסּוֹמֵךְ נוֹפְלִים, וְהַזּוֹקֵף כְּפוּפִים, לְךָ לְבַדְּךָ אֲנַחְנוּ מוֹדִים.

אִלּוּ פִינוּ מָלֵא שִׁירָה כַּיָּם, וּלְשׁוֹנֵנוּ רִנָּה כַּהֲמוֹן גַּלָּיו, וְשִׂפְתוֹתֵינוּ שֶׁבַח כְּמֶרְחֲבֵי רָקִיעַ, וְעֵינֵינוּ מְאִירוֹת כַּשֶּׁמֶשׁ וְכַיָּרֵחַ, וְיָדֵינוּ פְרוּשׂוֹת כְּנִשְׁרֵי שָׁמָיִם, וְרַגְלֵינוּ קַלּוֹת כָּאַיָּלוֹת, אֵין אֲנַחְנוּ מַסְפִּיקִים, לְהוֹדוֹת לְךָ יְיָ אֱלֹהֵינוּ וֵאלֹהֵי אֲבוֹתֵינוּ, וּלְבָרֵךְ אֶת שְׁמֶךָ עַל אַחַת מֵאָלֶף אֶלֶף אַלְפֵי אֲלָפִים וְרִבֵּי רְבָבוֹת פְּעָמִים, הַטּוֹבוֹת, שֶׁעָשִׂיתָ עִם אֲבוֹתֵינוּ וְעִמָּנוּ. מִמִּצְרַיִם גְּאַלְתָּנוּ יְיָ אֱלֹהֵינוּ, וּמִבֵּית עֲבָדִים פְּדִיתָנוּ, בְּרָעָב זַנְתָּנוּ, וּבְשָׂבָע כִּלְכַּלְתָּנוּ, מֵחֶרֶב הִצַּלְתָּנוּ, וּמִדֶּבֶר מִלַּטְתָּנוּ, וּמֵחֳלָיִם רָעִים וְרַבִּים וְנֶאֱמָנִים דִּלִּיתָנוּ: עַד הֵנָּה עֲזָרוּנוּ רַחֲמֶיךָ, וְלֹא עֲזָבוּנוּ חֲסָדֶיךָ וְאַל תִּטְּשֵׁנוּ יְיָ אֱלֹהֵינוּ לָנֶצַח.

The soul of every living being shall bless Your Name, Lord, our God; the spirit of all flesh shall always glorify and exalt Your remembrance, our King. In this world and for eternity You are God, and besides You we have no King, Redeemer and Savior who delivers, rescues, saves, sustains, and is merciful in every time of trouble and distress; we have no King but You. You are the God of the first and of the last, God of all creatures, Lord of all generations, who is extolled with manifold praises, who directs His world with kindness and His creatures with compassion. Behold, the Lord neither slumbers nor sleeps. He arouses the sleepers and awakens the slumberous, gives speech to the mute, releases the bound, supports the falling and raises up those who are bowed. To You alone we give thanks.

Were our mouths as full of song as the sea, and our tongues with joyous singing like the multitudes of its waves, and our lips with praise like the expanse of the sky; and our eyes shining like the sun and the moon, and our hands spread out like the eagles of heaven, and our feet swift like deer we would still be unable to thank You Lord, our God and God of our fathers, and to bless Your Name, for even one of the thousands, and myriads of favors which You have done for us and for our fathers before us. Lord our God. You have redeemed us from Egypt, You have freed us from the house of bondage, You have fed us in famine and nourished us in times of plenty; You have saved us from the sword and delivered us from pestilence, and rescued us from evil and lasting diseases. Until now Your mercies have helped us, and Your kindnesses have not forsaken us; and do not abandon us, Lord our God, forever!

עַל כֵּן אֵבָרִים שֶׁפִּלַּגְתָּ בָּנוּ, וְרוּחַ וּנְשָׁמָה שֶׁנָּפַחְתָּ בְּאַפֵּינוּ, וְלָשׁוֹן אֲשֶׁר שַׂמְתָּ בְּפִינוּ, הֵן הֵם יוֹדוּ וִיבָרְכוּ וִישַׁבְּחוּ וִיפָאֲרוּ וִירוֹמְמוּ וְיַעֲרִיצוּ וְיַקְדִּישׁוּ וְיַמְלִיכוּ אֶת שִׁמְךָ מַלְכֵּנוּ, כִּי כָל פֶּה לְךָ יוֹדֶה, וְכָל לָשׁוֹן לְךָ תִשָּׁבַע, וְכָל בֶּרֶךְ לְךָ תִכְרַע, וְכָל קוֹמָה לְפָנֶיךָ תִשְׁתַּחֲוֶה, וְכָל לְבָבוֹת יִירָאוּךָ, וְכָל קֶרֶב וּכְלָיוֹת יְזַמְּרוּ לִשְׁמֶךָ. כַּדָּבָר שֶׁכָּתוּב, כָּל עַצְמוֹתַי תֹּאמַרְנָה יְיָ מִי כָמוֹךָ. מַצִּיל עָנִי מֵחָזָק מִמֶּנּוּ, וְעָנִי וְאֶבְיוֹן מִגֹּזְלוֹ. מִי יִדְמֶה לָּךְ, וּמִי יִשְׁוֶה לָּךְ וּמִי יַעֲרָךְ לָךְ: הָאֵל הַגָּדוֹל הַגִּבּוֹר וְהַנּוֹרָא, אֵל עֶלְיוֹן קֹנֵה שָׁמַיִם וָאָרֶץ: נְהַלֶּלְךָ וּנְשַׁבֵּחֲךָ וּנְפָאֶרְךָ וּנְבָרֵךְ אֶת־שֵׁם קָדְשֶׁךָ. כָּאָמוּר, לְדָוִד, בָּרְכִי נַפְשִׁי אֶת יְיָ, וְכָל קְרָבַי אֶת שֵׁם קָדְשׁוֹ:

הָאֵל בְּתַעֲצֻמוֹת עֻזֶּךָ, הַגָּדוֹל בִּכְבוֹד שְׁמֶךָ. הַגִּבּוֹר לָנֶצַח וְהַנּוֹרָא בְּנוֹרְאוֹתֶיךָ. הַמֶּלֶךְ הַיּוֹשֵׁב עַל כִּסֵּא רָם וְנִשָּׂא:

שׁוֹכֵן עַד, מָרוֹם וְקָדוֹשׁ שְׁמוֹ: וְכָתוּב, רַנְּנוּ צַדִּיקִים בַּייָ, לַיְשָׁרִים נָאוָה תְהִלָּה. בְּפִי יְשָׁרִים תִּתְהַלָּל. וּבְדִבְרֵי צַדִּיקִים תִּתְבָּרַךְ. וּבִלְשׁוֹן חֲסִידִים תִּתְרוֹמָם. וּבְקֶרֶב קְדוֹשִׁים תִּתְקַדָּשׁ:

Therefore, the limbs which You have formed for us, and the spirit and soul which You have breathed into our nostrils, and the tongue which You have placed in our mouth all shall thank, bless, praise, glorify, exalt, adore, sanctify and proclaim the sovereignty of Your Name, our King. For every mouth shall offer thanks to You, every tongue shall swear loyalty to You, every knee shall bend to You, all who stand erect shall bow down before You, all hearts shall fear You, and every innermost part shall sing praise to Your Name, as it is written: "All my bones will say, Lord, who is like You; You save the poor from one stronger than he, the poor and the needy from one who would rob him!" Who can be likened to You, who is equal to You, who can be compared to You, the great, mighty, awesome God, God most high, Possessor of heaven and earth! We will laud You, praise You and glorify You, and we will bless Your holy Name, as it says: "A Psalm of David; bless the Lord, O my soul, and all that is within me bless His holy Name."

You are the Almighty God in the power of Your strength; great in the glory of Your Name; mighty forever, and awe-inspiring in Your awesome deeds; the King who sits upon a lofty and exalted throne.

He who dwells for eternity, lofty and holy is His Name. And it is written: "Exult, righteous ones, before God; for the upright praise is fitting." By the mouth of the upright You are praised; by the word of the righteous You shall be blessed; by the tongue of the devout You shall be exalted; and among the holy ones You shall be sanctified.

וּבְמַקְהֲלוֹת רִבְבוֹת עַמְּךָ בֵּית יִשְׂרָאֵל, בְּרִנָּה יִתְפָּאֵר שִׁמְךָ מַלְכֵּנוּ, בְּכָל דּוֹר וָדוֹר, שֶׁכֵּן חוֹבַת כָּל הַיְצוּרִים, לְפָנֶיךָ יְיָ אֱלֹהֵינוּ, וֵאלֹהֵי אֲבוֹתֵינוּ, לְהוֹדוֹת לְהַלֵּל לְשַׁבֵּחַ לְפָאֵר לְרוֹמֵם לְהַדֵּר לְבָרֵךְ לְעַלֵּה וּלְקַלֵּס, עַל כָּל דִּבְרֵי שִׁירוֹת וְתִשְׁבְּחוֹת דָּוִד בֶּן יִשַׁי עַבְדְּךָ מְשִׁיחֶךָ:

יִשְׁתַּבַּח שִׁמְךָ לָעַד מַלְכֵּנוּ, הָאֵל הַמֶּלֶךְ הַגָּדוֹל וְהַקָּדוֹשׁ בַּשָּׁמַיִם וּבָאָרֶץ. כִּי לְךָ נָאֶה, יְיָ אֱלֹהֵינוּ וֵאלֹהֵי אֲבוֹתֵינוּ: שִׁיר וּשְׁבָחָה, הַלֵּל וְזִמְרָה, עֹז וּמֶמְשָׁלָה, נֶצַח, גְּדֻלָּה וּגְבוּרָה, תְּהִלָּה וְתִפְאֶרֶת, קְדֻשָּׁה וּמַלְכוּת. בְּרָכוֹת וְהוֹדָאוֹת מֵעַתָּה וְעַד עוֹלָם. בָּרוּךְ אַתָּה יְיָ, אֵל מֶלֶךְ גָּדוֹל (וּמְהֻלָּל) בַּתִּשְׁבָּחוֹת, אֵל הַהוֹדָאוֹת, אֲדוֹן הַנִּפְלָאוֹת, הַבּוֹחֵר בְּשִׁירֵי זִמְרָה, מֶלֶךְ אֵל חֵי הָעוֹלָמִים:

מברכים על כוס רביעי.

בָּרוּךְ אַתָּה יְיָ, אֱלֹהֵינוּ מֶלֶךְ הָעוֹלָם, בּוֹרֵא פְּרִי הַגָּפֶן:

שותים בהסיבה ומברכים ברכה אחרונה.

And in the assembled multitudes of Your people, the House of Israel, with joyous song Your Name, our King, is glorified in every generation. For such is the obligation of all creatures before You, Lord our God and God of our fathers, to thank, to laud, to praise, to glorify, to exalt, to adore, to bless, to elevate and to honor You, even beyond all the words of songs and praises of David son of Yishai, Your anointed servant.

May Your Name be praised forever, our King, the great and holy God and King in heaven and on earth. For You, Lord, our God and God of our fathers, forever befits song and praise, laud and hymn, strength and dominion, victory, greatness and might, glory, splendor, holiness and sovereignty; blessings and thanksgivings for now and forever. Blessed are You, Lord, Almighty God, King, great and extolled in praises, God of thanksgivings, Lord of wonders, who takes pleasure in songs of praise; King, God, the Life of all worlds.

The following blessing is recited before drinking the fourth cup in a reclining position:

Blessed are You, Lord, our God, King of the universe, who creates the fruit of the vine.

After drinking the fourth cup, the concluding blessing is recited.

ברכה מעין שלוש

בָּרוּךְ אַתָּה יְיָ, אֱלֹהֵינוּ מֶלֶךְ הָעוֹלָם, עַל הַגֶּפֶן וְעַל פְּרִי הַגֶּפֶן, וְעַל תְּנוּבַת הַשָּׂדֶה, וְעַל אֶרֶץ חֶמְדָּה טוֹבָה וּרְחָבָה, שֶׁרָצִיתָ וְהִנְחַלְתָּ לַאֲבוֹתֵינוּ, לֶאֱכוֹל מִפִּרְיָהּ וְלִשְׂבּוֹעַ מִטּוּבָהּ. רַחֵם נָא יְיָ אֱלֹהֵינוּ עַל יִשְׂרָאֵל עַמֶּךָ, וְעַל יְרוּשָׁלַיִם עִירֶךָ, וְעַל צִיּוֹן מִשְׁכַּן כְּבוֹדֶךָ, וְעַל מִזְבְּחֶךָ וְעַל הֵיכָלֶךָ. וּבְנֵה יְרוּשָׁלַיִם עִיר הַקֹּדֶשׁ בִּמְהֵרָה בְיָמֵינוּ, וְהַעֲלֵנוּ לְתוֹכָהּ, וְשַׂמְּחֵנוּ בְּבִנְיָנָהּ וְנֹאכַל מִפִּרְיָהּ וְנִשְׂבַּע מִטּוּבָהּ, וּנְבָרֶכְךָ עָלֶיהָ בִּקְדֻשָּׁה וּבְטָהֳרָה. (בשבת: וּרְצֵה וְהַחֲלִיצֵנוּ בְּיוֹם הַשַּׁבָּת הַזֶּה.) וְשַׂמְּחֵנוּ בְּיוֹם חַג הַמַּצּוֹת הַזֶּה. כִּי אַתָּה יְיָ טוֹב וּמֵטִיב לַכֹּל, וְנוֹדֶה לְּךָ עַל הָאָרֶץ וְעַל פְּרִי הַגָּפֶן.

בָּרוּךְ אַתָּה יְיָ, עַל הָאָרֶץ וְעַל פְּרִי הַגָּפֶן:

נִרְצָה

נרצה – מעשיך נרצו לפני האלהים

חֲסַל סִדּוּר פֶּסַח כְּהִלְכָתוֹ, כְּכָל מִשְׁפָּטוֹ וְחֻקָּתוֹ.
כַּאֲשֶׁר זָכִינוּ לְסַדֵּר אוֹתוֹ, כֵּן נִזְכֶּה לַעֲשׂוֹתוֹ.
זָךְ שׁוֹכֵן מְעוֹנָה, קוֹמֵם קְהַל עֲדַת מִי מָנָה.
קָרֵב נַהֵל נִטְעֵי כַנָּה, פְּדוּיִם לְצִיּוֹן בְּרִנָּה.

לְשָׁנָה הַבָּאָה בִּירוּשָׁלָיִם:

On Shabbat, include the passage in parentheses:

Blessed are You, Lord our God, King of the universe for the vine and the fruit of the vine, for the produce of the field, and for the precious, good and spacious land which You have favored to give as an inheritance to our fathers, to eat of its fruit and be satiated by its goodness. Have mercy, Lord our God, on Israel Your people, on Jerusalem Your city, on Zion the abode of Your glory, on Your altar and on Your Temple. Rebuild Jerusalem, the holy city, speedily in our days, and bring us up into it, and make us rejoice in its rebuilding, that we may eat of its fruit and be satiated by its goodness, and we will bless You in holiness and purity. (May it please You to strengthen us on this Shabbat day) and let us rejoice on this day of the Festival of Matzot. For You, Lord, are good and continually do good to all, and we thank You for the land and for the fruit of the vine. Blessed are You, Lord, for the land and for the fruit of the vine.

NIRTZAH

The Seder is now completed in accordance with all of its laws, its ordinances and statutes. Just as we were found worthy to perform it, so may we be worthy to do so in the future.

O pure one, who dwells on high, raise up the congregation that is without number. Soon may you guide the off shoots of Your plants to Zion, redeemed, with song.

NEXT YEAR IN JERUSALEM!

סדר ספירת העומר

בחוץ לארץ, בליל יום טוב שני של גלויות, מי שלא ספר ספירת העומר בבית הכנסת, סופר כאן.

הִנְנִי מוּכָן וּמְזֻמָּן לְקַיֵּם מִצְוַת עֲשֵׂה שֶׁל סְפִירַת הָעוֹמֶר כְּמוֹ שֶׁכָּתוּב בַּתּוֹרָה. וּסְפַרְתֶּם לָכֶם מִמָּחֳרַת הַשַּׁבָּת מִיּוֹם הֲבִיאֲכֶם אֶת עוֹמֶר הַתְּנוּפָה שֶׁבַע שַׁבָּתוֹת תְּמִימֹת תִּהְיֶינָה. עַד מִמָּחֳרַת הַשַּׁבָּת הַשְּׁבִיעִית תִּסְפְּרוּ חֲמִשִּׁים יוֹם וְהִקְרַבְתֶּם מִנְחָה חֲדָשָׁה לַיְיָ. וִיהִי נוֹעַם אֲדֹנָי אֱלֹהֵינוּ עָלֵינוּ וּמַעֲשֵׂה יָדֵינוּ כּוֹנְנָה עָלֵינוּ, וּמַעֲשֵׂה יָדֵינוּ כּוֹנְנֵהוּ:

בָּרוּךְ אַתָּה יְיָ אֱלֹהֵינוּ מֶלֶךְ הָעוֹלָם, אֲשֶׁר קִדְּשָׁנוּ בְּמִצְוֹתָיו וְצִוָּנוּ עַל סְפִירַת הָעוֹמֶר:

הַיּוֹם יוֹם אֶחָד לָעוֹמֶר.

הָרַחֲמָן הוּא יַחֲזִיר לָנוּ עֲבוֹדַת בֵּית הַמִּקְדָּשׁ לִמְקוֹמָהּ, בִּמְהֵרָה בְיָמֵינוּ אָמֵן סֶלָה:

COUNTING THE OMER

For those making a second Seder: whoever did not count the Omer after Maariv

on the second night of Passover should count now.

I am ready and prepared to perform the positive command concerning the Counting of the Omer, as it is written in the Torah: "You shall count from the day following the day of rest, from the day you brought the (Omer) sheaf of the wave-offering, seven whole weeks shall be counted, you shall count fifty days, to the day following the seventh week you shall count fifty days; and you shall offer a new offering to the Lord."

(Vayikra 23:15–16)

Blessed are You, Lord our God, King of the Universe, who has sanctified us with His commandments and commanded us to count the Omer.

Today is the first day of the Omer.

The Compassionate One shall return the service of the Holy Temple for us, speedily in our days, Amen.

(בחוץ לארץ אומרים פיוט זה בליל ראשון.)

וּבְכֵן "וַיְהִי בַּחֲצִי הַלַּיְלָה"

אָז רוֹב נִסִּים הִפְלֵאתָ בַּלַּיְלָה,
בְּרֹאשׁ אַשְׁמוּרוֹת זֶה הַלַּיְלָה,
גֵּר צֶדֶק נִצַּחְתּוֹ כְּנֶחֱלַק לוֹ לַיְלָה, וַיְהִי בַּחֲצִי הַלַּיְלָה.
דַּנְתָּ מֶלֶךְ גְּרָר בַּחֲלוֹם הַלַּיְלָה,
הִפְחַדְתָּ אֲרַמִּי בְּאֶמֶשׁ לַיְלָה,
וַיָּשַׂר יִשְׂרָאֵל לְמַלְאָךְ וַיּוּכַל לוֹ לַיְלָה, וַיְהִי בַּחֲצִי הַלַּיְלָה.
זֶרַע בְּכוֹרֵי פַתְרוֹס מָחַצְתָּ בַּחֲצִי הַלַּיְלָה,
חֵילָם לֹא מָצְאוּ בְּקוּמָם בַּלַּיְלָה,
טִיסַת נְגִיד חֲרֹשֶׁת סִלִּיתָ בְכוֹכְבֵי לַיְלָה, וַיְהִי בַּחֲצִי הַלַּיְלָה.
יָעַץ מְחָרֵף לְנוֹפֵף אִוּוּי הוֹבַשְׁתָּ פְגָרָיו בַּלַּיְלָה,
כָּרַע בֵּל וּמַצָּבוֹ בְּאִישׁוֹן לַיְלָה,
לְאִישׁ חֲמוּדוֹת נִגְלָה רָז חֲזוֹת לַיְלָה, וַיְהִי בַּחֲצִי הַלַּיְלָה.
מִשְׁתַּכֵּר בִּכְלֵי קֹדֶשׁ נֶהֱרַג בּוֹ בַּלַּיְלָה,
נוֹשַׁע מִבּוֹר אֲרָיוֹת פּוֹתֵר בִּעֲתוּתֵי לַיְלָה,
שִׂנְאָה נָטַר אֲגָגִי וְכָתַב סְפָרִים בַּלַּיְלָה, וַיְהִי בַּחֲצִי הַלַּיְלָה.
עוֹרַרְתָּ נִצְחֲךָ עָלָיו בְּנֶדֶד שְׁנַת לַיְלָה,
פּוּרָה תִדְרוֹךְ לְשׁוֹמֵר מַה מִּלַּיְלָה,
צָרַח כַּשֹּׁמֵר וְשָׂח אָתָא בֹקֶר וְגַם לַיְלָה, וַיְהִי בַּחֲצִי הַלַּיְלָה.
קָרֵב יוֹם אֲשֶׁר הוּא לֹא יוֹם וְלֹא לַיְלָה,
רָם הוֹדַע כִּי לְךָ הַיּוֹם אַף לְךָ הַלַּיְלָה,
שׁוֹמְרִים הַפְקֵד לְעִירְךָ כָּל הַיּוֹם וְכָל הַלַּיְלָה,
תָּאִיר כְּאוֹר יוֹם חֶשְׁכַת לַיְלָה, וַיְהִי בַּחֲצִי הַלַּיְלָה.

(This song is for the first night of Pesach only.)

AND IT CAME TO PASS AT MIDNIGHT!

Then, in times of old, You performed many wonders by night,
At the beginning of the watches of this night.
The righteous convert (Avraham)
You gave victory by dividing for him the night.
And it came to pass at midnight!
You judged the king of Gerar (Avimelech) in a dream at night.
You frightened the Aramean (Lavan) in the dark of the night.
Yisrael fought an angel and overcame him at night.
And it came to pass at midnight!
You crushed the firstborn of Patros (Egypt) at midnight.
They did not find their host upon arising at night.
The army of the prince of Charoset (Sisera) You swept away with the stars of the night.
And it came to pass at midnight!
The blasphemer (Sancheirev) planned to raise his hand against Jerusalem; but You made him into dry corpses in the night.
Bel with its pedestal was overturned in the darkness of the night.
To the man You delighted in (Daniel) was revealed the secret of the visions of the night.
And it came to pass at midnight!
He who became drunk from the holy vessels (Belshazzar) was killed that very night.
Saved from the lion's den was he (Daniel) who interpreted the horrors of the night.
The Aggagi (Haman) nursed hatred and wrote edicts by night.
And it came to pass at midnight!
You began Your victory over him with disturbing (Achashveirosh's) sleep at night.|
Trample the winepress for those who ask the watchman, "What will come of the night?"
He will shout like a watchman, and say: "Morning shall came and also night."
And it came to pass at midnight!
Bring close the day that is neither day nor night.
Exalted One, make known that Yours is the day and Yours is also the night.
Appoint guards for Your city, all day and all night.
Brighten like the light of the day the darkness of night.
And it came to pass at midnight!

(בחו"ל אומרים פיוט זה בסדר שני, במקום הפיוט הקודם)

וּבְכֵן וַאֲמַרְתֶּם זֶבַח פֶּסַח:

אֹמֶץ גְּבוּרוֹתֶיךָ הִפְלֵאתָ בַּפֶּסַח:
בְּרֹאשׁ כָּל מוֹעֲדוֹת נִשֵּׂאתָ פֶּסַח:
גִּלִּיתָ לְאֶזְרָחִי חֲצוֹת לֵיל פֶּסַח:
וַאֲמַרְתֶּם זֶבַח פֶּסַח:

דְּלָתָיו דָּפַקְתָּ כְּחוֹם הַיּוֹם בַּפֶּסַח:
הִסְעִיד נוֹצְצִים עֻגוֹת מַצּוֹת בַּפֶּסַח:
וְאֶל הַבָּקָר רָץ זֵכֶר לְשׁוֹר עֵרֶךְ פֶּסַח:
וַאֲמַרְתֶּם זֶבַח פֶּסַח:

זוֹעֲמוּ סְדוֹמִים וְלוֹהֲטוּ בָּאֵשׁ בַּפֶּסַח:
חֻלַּץ לוֹט מֵהֶם וּמַצּוֹת אָפָה בְּקֵץ פֶּסַח:
טִאטֵאתָ אַדְמַת מוֹף וְנוֹף בְּעָבְרְךָ בַּפֶּסַח:
וַאֲמַרְתֶּם זֶבַח פֶּסַח:

יָהּ רֹאשׁ כָּל הוֹן מָחַצְתָּ בְּלֵיל שִׁמּוּר פֶּסַח:
כַּבִּיר עַל בֵּן בְּכוֹר פָּסַחְתָּ בְּדַם פֶּסַח:
לְבִלְתִּי תֵּת מַשְׁחִית לָבֹא בִּפְתָחַי בַּפֶּסַח:
וַאֲמַרְתֶּם זֶבַח פֶּסַח:

מְסֻגֶּרֶת סֻגָּרָה בְּעִתּוֹתֵי פֶּסַח:
נִשְׁמְדָה מִדְיָן בִּצְלִיל שְׂעוֹרֵי עֹמֶר פֶּסַח:
שֹׂרְפוּ מִשְׁמַנֵּי פּוּל וְלוּד בִּיקַד יְקוֹד פֶּסַח:
וַאֲמַרְתֶּם זֶבַח פֶּסַח:

עוֹד הַיּוֹם בְּנֹב לַעֲמֹד עַד גָּעָה עוֹנַת פֶּסַח:
פַּס יַד כָּתְבָה לְקַעֲקֵעַ צוּל בַּפֶּסַח:
צָפֹה הַצָּפִית עָרוֹךְ הַשֻּׁלְחָן בַּפֶּסַח:
וַאֲמַרְתֶּם זֶבַח פֶּסַח:

קָהָל כִּנְּסָה הֲדַסָּה צוֹם לְשַׁלֵּשׁ בַּפֶּסַח:
רֹאשׁ מִבֵּית רָשָׁע מָחַצְתָּ בְּעֵץ חֲמִשִּׁים בַּפֶּסַח:
שְׁתֵּי אֵלֶּה רֶגַע תָּבִיא לְעוּצִית בַּפֶּסַח:
תָּעוֹז יָדְךָ תָּרוּם יְמִינְךָ כְּלֵיל הִתְקַדֵּשׁ חַג פֶּסַח:
וַאֲמַרְתֶּם זֶבַח פֶּסַח:

This song replaces the previous one on the second Seder night.

AND YOU SHALL SAY: THIS IS THE PESACH SACRIFICE

And you shall say: This is the Pesach sacrifice.
You displayed Your mighty powers wondrously on Pesach.
Above all seasons of delight You elevated Pesach.
You revealed the Exodus to the Oriental (Avraham) at the midnight of Pesach.
And you shall say: This is the Pesach sacrifice.

You knocked at his door in the heat of the day on Pesach.
He gave the angels cakes of matzah to dine on during Pesach.
He ran to the herd, harbinger of the sacrificial feast of the Pesach.
And you shall say: This is the Pesach sacrifice.

The Sodomites provoked and were burned up with fire on Pesach.
Lot was rescued from them and he baked Matzot at the end of Pesach.
You swept the ground of Moph and Noph (Egypt) when You passed though on Pesach.
And you shall say: This is the Pesach sacrifice.

God, You crushed the head of every firstborn on the watchful night of Pesach.
Powerful One, You skipped over Your firstborn by merit of the blood of Pesach.
So as not to let the Destroyer enter my threshold on Pesach.
And you shall say: This is the Pesach sacrifice.

The besieged city (Jericho) was besieged at the time of Pesach.
Midian was destroyed through a barley cake, from the Omer of Pesach.
The mighty nobles of Pul and Lud (Assyria) were burnt in a great conflagration on Pesach.
And you shall say: This is the Pesach sacrifice.

Still today (Sancheirev) would be standing at Nov until the time came for Pesach.
A hand inscribed the destruction of Tzul (Babylon) on Pesach.
As the watch was set, and the table on Pesach.
And you shall say: This is the Pesach sacrifice.

Hadassah (Esther) assembled a congregation for a three-day fast on Pesach.
The head of the wicked clan (Haman) You crushed, through a gallows of fifty cubits, on Pesach.
Double will You bring in an instant upon Utsis (Edom) on Pesach.
Let Your hand be strengthened and Your right arm be uplifted, as on that night when
You made holy the festival of Pesach.
And you shall say: This is the Pesach sacrifice.

כִּי לוֹ נָאֶה, כִּי לוֹ יָאֶה

אַדִּיר בִּמְלוּכָה, בָּחוּר כַּהֲלָכָה, גְּדוּדָיו יֹאמְרוּ לוֹ:
לְךָ וּלְךָ, לְךָ כִּי לְךָ, לְךָ אַף לְךָ, לְךָ יְיָ הַמַּמְלָכָה,
כִּי לוֹ נָאֶה כִּי לוֹ יָאֶה.

דָּגוּל בִּמְלוּכָה, הָדוּר כַּהֲלָכָה, וָתִיקָיו יֹאמְרוּ לוֹ:
לְךָ וּלְךָ, לְךָ כִּי לְךָ, לְךָ אַף לְךָ, לְךָ יְיָ הַמַּמְלָכָה,
כִּי לוֹ נָאֶה, כִּי לוֹ יָאֶה.

זַכַּאי בִּמְלוּכָה, חָסִין כַּהֲלָכָה, טַפְסְרָיו יֹאמְרוּ לוֹ:
לְךָ וּלְךָ, לְךָ כִּי לְךָ, לְךָ אַף לְךָ, לְךָ יְיָ הַמַּמְלָכָה,
כִּי לוֹ נָאֶה, כִּי לוֹ יָאֶה.

יָחִיד בִּמְלוּכָה, כַּבִּיר כַּהֲלָכָה, לִמּוּדָיו יֹאמְרוּ לוֹ:
לְךָ וּלְךָ, לְךָ כִּי לְךָ, לְךָ אַף לְךָ, לְךָ יְיָ הַמַּמְלָכָה,
כִּי לוֹ נָאֶה, כִּי לוֹ יָאֶה.

מָרוֹם בִּמְלוּכָה, נוֹרָא כַּהֲלָכָה, סְבִיבָיו יֹאמְרוּ לוֹ:
לְךָ וּלְךָ, לְךָ כִּי לְךָ, לְךָ אַף לְךָ, לְךָ יְיָ הַמַּמְלָכָה,
כִּי לוֹ נָאֶה, כִּי לוֹ יָאֶה.

עָנָיו בִּמְלוּכָה, פּוֹדֶה כַּהֲלָכָה, צַדִּיקָיו יֹאמְרוּ לוֹ:
לְךָ וּלְךָ, לְךָ כִּי לְךָ, לְךָ אַף לְךָ, לְךָ יְיָ הַמַּמְלָכָה,
כִּי לוֹ נָאֶה, כִּי לוֹ יָאֶה.

קָדוֹשׁ בִּמְלוּכָה, רַחוּם כַּהֲלָכָה, שִׁנְאַנָּיו יֹאמְרוּ לוֹ:
לְךָ וּלְךָ, לְךָ כִּי לְךָ, לְךָ אַף לְךָ, לְךָ יְיָ הַמַּמְלָכָה,
כִּי לוֹ נָאֶה, כִּי לוֹ יָאֶה.

תַּקִּיף בִּמְלוּכָה, תּוֹמֵךְ כַּהֲלָכָה, תְּמִימָיו יֹאמְרוּ לוֹ:
לְךָ וּלְךָ, לְךָ כִּי לְךָ, לְךָ אַף לְךָ, לְךָ יְיָ הַמַּמְלָכָה,
כִּי לוֹ נָאֶה, כִּי לוֹ יָאֶה.

TO HIM (PRAISE) IS BECOMING; TO HIM (PRAISE) IS FITTING

Mighty in Kingship, perfectly distinguished, His companies say to Him: to You and to You; to You, yes to You; to You, only to You; You, God, are the Sovereign.

To Him (praise) is becoming; to Him (praise) is fitting.

Renowned in kingship, perfectly glorious, His faithful say to Him: to You and to You; to You, yes to You; to You, only to You; You, God, are the Sovereign.

To Him (praise) is becoming; to Him (praise) is fitting.

Worthy in kingship, perfectly immune, His princes say to Him: to You and to You; to You, yes to You; to You, only to You; You, God, are the Sovereign.

To Him (praise) is becoming; to Him (praise) is fitting.

Unique in kingship, perfectly powerful, His learned ones say to Him: to You and to You; to You, yes to You; to You, only to You; You, God, are the Sovereign.

To Him (praise) is becoming; to Him (praise) is fitting.

Commanding in Kingship, perfectly awesome, His surrounding (angels) say to Him: to You and to You; to You, yes to You; to You, only to You; You, God, are the Sovereign.

To Him (praise) is becoming; to Him (praise) is fitting.

Modest in kingship, perfectly the Redeemer, His legions say to Him: to You and to You; to You, yes to You; to You, only to You; You, God, are the Sovereign.

To Him (praise) is becoming; to Him (praise) is fitting.

Holy in kingship, perfectly merciful, His snow-white angels say to Him: to You and to You; to You, yes to You; to You, only to You; You, God, are the Sovereign.

To Him (praise) is becoming; to Him (praise) is fitting.

Resolute in kingship, perfectly supportive, His perfect ones say to Him: to You and to You; to You, yes to You; to You, only to You; You, God, are the Sovereign.

To Him (praise) is becoming; to Him (praise) is fitting.

אַדִּיר הוּא

אַדִּיר הוּא, יִבְנֶה בֵיתוֹ בְּקָרוֹב,
בִּמְהֵרָה בִּמְהֵרָה בְּיָמֵינוּ בְּקָרוֹב. אֵל בְּנֵה, אֵל בְּנֵה, בְּנֵה בֵיתְךָ בְּקָרוֹב.

בָּחוּר הוּא, גָּדוֹל הוּא, דָּגוּל הוּא, יִבְנֶה בֵיתוֹ בְּקָרוֹב,
בִּמְהֵרָה בִּמְהֵרָה בְּיָמֵינוּ בְּקָרוֹב. אֵל בְּנֵה, אֵל בְּנֵה, בְּנֵה בֵיתְךָ בְּקָרוֹב.

הָדוּר הוּא, וָתִיק הוּא, זַכַּאי הוּא, חָסִיד הוּא, יִבְנֶה בֵיתוֹ בְּקָרוֹב,
בִּמְהֵרָה בִּמְהֵרָה בְּיָמֵינוּ בְּקָרוֹב. אֵל בְּנֵה, אֵל בְּנֵה, בְּנֵה בֵיתְךָ בְּקָרוֹב.

טָהוֹר הוּא, יָחִיד הוּא, כַּבִּיר הוּא, לָמוּד הוּא, מֶלֶךְ הוּא, נוֹרָא הוּא,
סַגִּיב הוּא, עִזּוּז הוּא, פּוֹדֶה הוּא, צַדִּיק הוּא, יִבְנֶה בֵיתוֹ בְּקָרוֹב,
בִּמְהֵרָה בִּמְהֵרָה בְּיָמֵינוּ בְּקָרוֹב. אֵל בְּנֵה, אֵל בְּנֵה, בְּנֵה בֵיתְךָ בְּקָרוֹב.

קָדוֹשׁ הוּא, רַחוּם הוּא, שַׁדַּי הוּא, תַּקִּיף הוּא, יִבְנֶה בֵיתוֹ בְּקָרוֹב,
בִּמְהֵרָה בִּמְהֵרָה בְּיָמֵינוּ בְּקָרוֹב. אֵל בְּנֵה, אֵל בְּנֵה, בְּנֵה בֵיתְךָ בְּקָרוֹב.

HE IS MIGHTY

He is mighty.
May He soon rebuild His House, speedily, yes speedily, in our days, soon.
God, rebuild, God, rebuild, rebuild Your House soon!

He is distinguished, He is great, He is renowned.
May He soon rebuild His House, speedily, yes speedily, in our days, soon.
God, rebuild, God, rebuild, rebuild Your House soon!

He is glorious, He is faithful, He is worthy, He is gracious.
May He soon rebuild His House, speedily, yes speedily, in our days, soon.
God, rebuild, God, rebuild, rebuild Your House soon!

He is pure, He is unique, He is powerful, He is majestic, He is awesome,
He is sublime, He is all-powerful, He is the Redeemer, He is righteous.
May He soon rebuild His House, speedily, yes speedily, in our days, soon.
God, rebuild, God, rebuild, rebuild Your House soon!

He is holy, He is merciful, He is Almighty, He is forceful.
May He soon rebuild His House, speedily, yes speedily, in our days, soon.
God, rebuild, God, rebuild, rebuild Your House soon!

אֶחָד מִי יוֹדֵעַ?

אֶחָד מִי יוֹדֵעַ? אֶחָד אֲנִי יוֹדֵעַ: אֶחָד אֱלֹהֵינוּ שֶׁבַּשָּׁמַיִם וּבָאָרֶץ.

שְׁנַיִם מִי יוֹדֵעַ? שְׁנַיִם אֲנִי יוֹדֵעַ: שְׁנֵי לֻחוֹת הַבְּרִית,
אֶחָד אֱלֹהֵינוּ שֶׁבַּשָּׁמַיִם וּבָאָרֶץ.

שְׁלֹשָׁה מִי יוֹדֵעַ? שְׁלֹשָׁה אֲנִי יוֹדֵעַ: שְׁלֹשָׁה אָבוֹת, שְׁנֵי לֻחוֹת הַבְּרִית,
אֶחָד אֱלֹהֵינוּ שֶׁבַּשָּׁמַיִם וּבָאָרֶץ.

אַרְבַּע מִי יוֹדֵעַ? אַרְבַּע אֲנִי יוֹדֵעַ: אַרְבַּע אִמָּהוֹת, שְׁלֹשָׁה אָבוֹת,
שְׁנֵי לֻחוֹת הַבְּרִית, אֶחָד אֱלֹהֵינוּ שֶׁבַּשָּׁמַיִם וּבָאָרֶץ.

חֲמִשָּׁה מִי יוֹדֵעַ? חֲמִשָּׁה אֲנִי יוֹדֵעַ: חֲמִשָּׁה חוּמְשֵׁי תוֹרָה,
אַרְבַּע אִמָּהוֹת, שְׁלֹשָׁה אָבוֹת, שְׁנֵי לֻחוֹת הַבְּרִית,
אֶחָד אֱלֹהֵינוּ שֶׁבַּשָּׁמַיִם וּבָאָרֶץ.

שִׁשָּׁה מִי יוֹדֵעַ? שִׁשָּׁה אֲנִי יוֹדֵעַ: שִׁשָּׁה סִדְרֵי מִשְׁנָה,
חֲמִשָּׁה חוּמְשֵׁי תוֹרָה, אַרְבַּע אִמָּהוֹת, שְׁלֹשָׁה אָבוֹת,
שְׁנֵי לֻחוֹת הַבְּרִית, אֶחָד אֱלֹהֵינוּ שֶׁבַּשָּׁמַיִם וּבָאָרֶץ.

שִׁבְעָה מִי יוֹדֵעַ? שִׁבְעָה אֲנִי יוֹדֵעַ: שִׁבְעָה יְמֵי שַׁבַּתָּא,
שִׁשָּׁה סִדְרֵי מִשְׁנָה, חֲמִשָּׁה חוּמְשֵׁי תוֹרָה, אַרְבַּע אִמָּהוֹת,
שְׁלֹשָׁה אָבוֹת, שְׁנֵי לֻחוֹת הַבְּרִית, אֶחָד אֱלֹהֵינוּ שֶׁבַּשָּׁמַיִם וּבָאָרֶץ.

WHO KNOWS ONE?

Who knows one? I know one: One is our God, in heaven and on earth.

Who knows two? I know two: two are the Tablets of Covenant; One is our God, in heaven and on earth.

Who knows three? I know three: three are the Patriarchs; two are the Tablets of Covenant; One is our God, in heaven and on earth.

Who knows four? I know four: four are the Matriarchs; three are the Patriarchs; two are the Tablets of Covenant; One is our God, in heaven and on earth.

Who knows five? I know five: five are the Books of the Torah; four are the Matriarchs; three are the Patriarchs; two are the Tablets of Covenant; One is our God, in heaven and on earth.

Who knows six? I know six: six are the Orders of the Mishnah; five are the Books of the Torah; four are the Matriarchs; three are the Patriarchs; two are the Tablets of Covenant; One is our God, in heaven and on earth.

Who knows seven? I know seven: seven are the days of the week; six are the Orders of the Mishnah; five are the Books of the Torah; four are the Matriarchs; three are the Patriarchs; two are the Tablets of Covenant; One is our God, in heaven and on earth.

שְׁמוֹנָה מִי יוֹדֵעַ? שְׁמוֹנָה אֲנִי יוֹדֵעַ: שְׁמוֹנָה יְמֵי מִילָה, שִׁבְעָה יְמֵי שַׁבַּתָּא, שִׁשָּׁה סִדְרֵי מִשְׁנָה, חֲמִשָּׁה חוּמְשֵׁי תוֹרָה, אַרְבַּע אִמָּהוֹת, שְׁלֹשָׁה אָבוֹת, שְׁנֵי לֻחוֹת הַבְּרִית, אֶחָד אֱלֹהֵינוּ שֶׁבַּשָּׁמַיִם וּבָאָרֶץ.

תִּשְׁעָה מִי יוֹדֵעַ? תִּשְׁעָה אֲנִי יוֹדֵעַ: תִּשְׁעָה יַרְחֵי לֵדָה, שְׁמוֹנָה יְמֵי מִילָה, שִׁבְעָה יְמֵי שַׁבַּתָּא, שִׁשָּׁה סִדְרֵי מִשְׁנָה, חֲמִשָּׁה חוּמְשֵׁי תוֹרָה, אַרְבַּע אִמָּהוֹת, שְׁלֹשָׁה אָבוֹת, שְׁנֵי לֻחוֹת הַבְּרִית, אֶחָד אֱלֹהֵינוּ שֶׁבַּשָּׁמַיִם וּבָאָרֶץ.

עֲשָׂרָה מִי יוֹדֵעַ? עֲשָׂרָה אֲנִי יוֹדֵעַ: עֲשָׂרָה דִבְּרַיָּא, תִּשְׁעָה יַרְחֵי לֵדָה, שְׁמוֹנָה יְמֵי מִילָה, שִׁבְעָה יְמֵי שַׁבַּתָּא, שִׁשָּׁה סִדְרֵי מִשְׁנָה, חֲמִשָּׁה חוּמְשֵׁי תוֹרָה, אַרְבַּע אִמָּהוֹת, שְׁלֹשָׁה אָבוֹת, שְׁנֵי לֻחוֹת הַבְּרִית, אֶחָד אֱלֹהֵינוּ שֶׁבַּשָּׁמַיִם וּבָאָרֶץ.

אַחַד עָשָׂר מִי יוֹדֵעַ? אַחַד עָשָׂר אֲנִי יוֹדֵעַ: אַחַד עָשָׂר כּוֹכְבַיָּא, עֲשָׂרָה דִבְּרַיָּא, תִּשְׁעָה יַרְחֵי לֵדָה, שְׁמוֹנָה יְמֵי מִילָה, שִׁבְעָה יְמֵי שַׁבַּתָּא, שִׁשָּׁה סִדְרֵי מִשְׁנָה, חֲמִשָּׁה חוּמְשֵׁי תוֹרָה, אַרְבַּע אִמָּהוֹת, שְׁלֹשָׁה אָבוֹת, שְׁנֵי לֻחוֹת הַבְּרִית, אֶחָד אֱלֹהֵינוּ שֶׁבַּשָּׁמַיִם וּבָאָרֶץ.

שְׁנֵים עָשָׂר מִי יוֹדֵעַ? שְׁנֵים עָשָׂר אֲנִי יוֹדֵעַ: שְׁנֵים עָשָׂר שִׁבְטַיָּא, אַחַד עָשָׂר כּוֹכְבַיָּא, עֲשָׂרָה דִבְּרַיָּא, תִּשְׁעָה יַרְחֵי לֵדָה, שְׁמוֹנָה יְמֵי מִילָה, שִׁבְעָה יְמֵי שַׁבַּתָּא, שִׁשָּׁה סִדְרֵי מִשְׁנָה, חֲמִשָּׁה חוּמְשֵׁי תוֹרָה, אַרְבַּע אִמָּהוֹת, שְׁלֹשָׁה אָבוֹת, שְׁנֵי לֻחוֹת הַבְּרִית, אֶחָד אֱלֹהֵינוּ שֶׁבַּשָּׁמַיִם וּבָאָרֶץ.

שְׁלֹשָׁה עָשָׂר מִי יוֹדֵעַ? שְׁלֹשָׁה עָשָׂר אֲנִי יוֹדֵעַ: שְׁלֹשָׁה עָשָׂר מִדַּיָּא, שְׁנֵים עָשָׂר שִׁבְטַיָּא, אַחַד עָשָׂר כּוֹכְבַיָּא, עֲשָׂרָה דִבְּרַיָּא, תִּשְׁעָה יַרְחֵי לֵדָה, שְׁמוֹנָה יְמֵי מִילָה, שִׁבְעָה יְמֵי שַׁבַּתָּא, שִׁשָּׁה סִדְרֵי מִשְׁנָה, חֲמִשָּׁה חוּמְשֵׁי תוֹרָה, אַרְבַּע אִמָּהוֹת, שְׁלֹשָׁה אָבוֹת, שְׁנֵי לֻחוֹת הַבְּרִית, אֶחָד אֱלֹהֵינוּ שֶׁבַּשָּׁמַיִם וּבָאָרֶץ.

Who knows eight? I know eight: eight are the days to circumcision; seven are the days of the week; six are the Orders of the Mishnah; five are the Books of the Torah; four are the Matriarchs; three are the Patriarchs; two are the Tablets of Covenant; One is our God, in heaven and on earth.

Who knows nine? I know nine: nine are the months of the pregnancy; eight are the days to circumcision; seven are the days of the week; six are the Orders of the Mishnah; five are the Books of the Torah; four are the Matriarchs; three are the Patriarchs; two are the Tablets of Covenant; One is our God, in heaven and on earth.

Who knows ten? I know ten: ten are the Ten Commandments; nine are the months of the pregnancy; eight are the days to circumcision; seven are the days of the week; six are the Orders of the Mishnah; five are the Books of the Torah; four are the Matriarchs; three are the Patriarchs; two are the Tablets of Covenant; One is our God, in heaven and on earth.

Who knows eleven? I know eleven: eleven are the stars (in Yosef's dream); ten are the Ten Commandments; nine are the months of the pregnancy; eight are the days to circumcision; seven are the days of the week; six are the Orders of the Mishnah; five are the Books of the Torah; four are the Matriarchs; three are the Patriarchs; two are the Tablets of Covenant; One is our God, in heaven and on earth.

Who knows twelve? I know twelve: twelve are the tribes (of Israel); eleven are the stars (in Yosef's dream); ten are the Ten Commandments; nine are the months of the pregnancy; eight are the days to circumcision; seven are the days of the week; six are the Orders of the Mishnah; five are the Books of the Torah; four are the Matriarchs; three are the Patriarchs; two are the Tablets of Covenant; One is our God, in heaven and on earth.

Who knows thirteen? I know thirteen: thirteen are the attributes of God; twelve are the tribes (of Israel); eleven are the stars (in Yosef's dream); ten are the Ten Commandments; nine are the months of the pregnancy; eight are the days to circumcision; seven are the days of the week; six are the Orders of the Mishnah; five are the Books of the Torah; four are the Matriarchs; three are the Patriarchs; two are the Tablets of Covenant; One is our God, in heaven and on earth.

חַד גַּדְיָא, חַד גַּדְיָא

חַד גַּדְיָא, חַד גַּדְיָא,
דְּזַבִּין אַבָּא בִּתְרֵי זוּזֵי, חַד גַּדְיָא, חַד גַּדְיָא.

וְאָתָא שׁוּנְרָא, וְאָכְלָה לְגַדְיָא,
דְּזַבִּין אַבָּא בִּתְרֵי זוּזֵי, חַד גַּדְיָא, חַד גַּדְיָא.

וְאָתָא כַּלְבָּא, וְנָשַׁךְ לְשׁוּנְרָא, דְּאָכְלָה לְגַדְיָא,
דְּזַבִּין אַבָּא בִּתְרֵי זוּזֵי, חַד גַּדְיָא חַד גַּדְיָא,

וְאָתָא חוּטְרָא, וְהִכָּה לְכַלְבָּא, דְּנָשַׁךְ לְשׁוּנְרָא, דְּאָכְלָה לְגַדְיָא,
דְּזַבִּין אַבָּא בִּתְרֵי זוּזֵי, חַד גַּדְיָא, חַד גַּדְיָא.

וְאָתָא נוּרָא, וְשָׂרַף לְחוּטְרָא, דְּהִכָּה לְכַלְבָּא, דְּנָשַׁךְ לְשׁוּנְרָא, דְּאָכְלָה לְגַדְיָא,
דְּזַבִּין אַבָּא בִּתְרֵי זוּזֵי, חַד גַּדְיָא, חַד גַּדְיָא.

וְאָתָא מַיָּא, וְכָבָה לְנוּרָא, דְּשָׂרַף לְחוּטְרָא, דְּהִכָּה לְכַלְבָּא, דְּנָשַׁךְ לְשׁוּנְרָא,
דְּאָכְלָה לְגַדְיָא,
דְּזַבִּין אַבָּא בִּתְרֵי זוּזֵי, חַד גַּדְיָא, חַד גַּדְיָא.

וְאָתָא תוֹרָא, וְשָׁתָה לְמַיָּא, דְּכָבָה לְנוּרָא, דְּשָׂרַף לְחוּטְרָא, דְּהִכָּה לְכַלְבָּא,
דְּנָשַׁךְ לְשׁוּנְרָא, דְּאָכְלָה לְגַדְיָא,
דְּזַבִּין אַבָּא בִּתְרֵי זוּזֵי, חַד גַּדְיָא, חַד גַּדְיָא.

וְאָתָא הַשּׁוֹחֵט, וְשָׁחַט לְתוֹרָא, דְּשָׁתָה לְמַיָּא, דְּכָבָה לְנוּרָא, דְּשָׂרַף לְחוּטְרָא,
דְּהִכָּה לְכַלְבָּא, דְּנָשַׁךְ לְשׁוּנְרָא, דְּאָכְלָה לְגַדְיָא,
דְּזַבִּין אַבָּא בִּתְרֵי זוּזֵי, חַד גַּדְיָא, חַד גַּדְיָא.

וְאָתָא מַלְאַךְ הַמָּוֶת, וְשָׁחַט לְשׁוֹחֵט, דְּשָׁחַט לְתוֹרָא, דְּשָׁתָה לְמַיָּא, דְּכָבָה לְנוּרָא,
דְּשָׂרַף לְחוּטְרָא, דְּהִכָּה לְכַלְבָּא, דְּנָשַׁךְ לְשׁוּנְרָא, דְּאָכְלָא לְגַדְיָא,
דְּזַבִּין אַבָּא בִּתְרֵי זוּזֵי, חַד גַּדְיָא, חַד גַּדְיָא.

וְאָתָא הַקָּדוֹשׁ בָּרוּךְ הוּא, וְשָׁחַט לְמַלְאַךְ הַמָּוֶת, דְּשָׁחַט לְשׁוֹחֵט, דְּשָׁחַט לְתוֹרָא,
דְּשָׁתָה לְמַיָּא, דְּכָבָה לְנוּרָא, דְּשָׂרַף לְחוּטְרָא, דְּהִכָּה לְכַלְבָּא, דְּנָשַׁךְ לְשׁוּנְרָא,
דְּאָכְלָא לְגַדְיָא,
דְּזַבִּין אַבָּא בִּתְרֵי זוּזֵי, חַד גַּדְיָא, חַד גַּדְיָא.

יש נוהגין לומר שיר השירים.

ONE LITTLE GOAT

One little goat, one little goat,
that father bought for two zuzim, one little goat, one little goat.

And then came a cat and ate that goat that father bought for two zuzim, one little goat, one little goat.

And then came a dog and bit the cat, that ate the goat that father bought for two zuzim, one little goat, one little goat.

And then came a stick and beat the dog, that bit the cat, that ate the goat that father bought for two zuzim, one little goat, one little goat.

And then came a fire and burnt the stick, that beat the dog, that bit the cat, that ate the goat that father bought for two zuzim, one little goat, one little goat.

And then came some water and put out the fire, that burnt the stick, that beat the dog, that bit the cat, that ate the goat that father bought for two zuzim, one little goat, one little goat.

And then came an ox and drank the water, that put out the fire, that burnt the stick, that beat the dog, that bit the cat, that ate the goat that father bought for two zuzim, one little goat, one little goat.

And then came a slaughterer and slaughtered the ox, that drank the water, that put out the fire, that burnt the stick, that beat the dog, that bit the cat, that ate the goat that father bought for two zuzim, one little goat, one little goat.

And then came the angel of death and slew the slaughter, who slaughtered the ox, that drank the water, that put out the fire, that burnt the stick, that beat the dog, that bit the cat, that ate the goat that father bought for two zuzim, one little goat, one little goat.

And then came the Holy One, blessed be He,
and killed the angel of death, who slew the slaughterer,
who slaughtered the ox, that drank the water, that put out the fire, that burnt the stick, that beat the dog, that bit the cat, that ate the goat that father bought for two zuzim, one little goat, one little goat.

Commentary on the Pesach Haggadah
by Rav Yosef Adler

The Mishnah states: "ודורש כל הפרשה כולה של ארמי אבד אבי". There is a brief description of שיעבוד and geulat Mitzrayim in this Parsha. But there is a much more elaborate portrait in Sefer Shemot. Why don't we darshan the pesukim of Bo, Shemot or Va-era? Why specifically these pesukim that serve as the basis as the reading for the mitzvah of bringing the Bikkurim? Ramban in Parshat Shelach makes an interesting observation. After the lengthy description of the sin of the meraglim and its disastrous consequences, the Torah describes the mitzvah of niskei yayin, wine libations, which accompany every korban tzibbur, and the mitzvah of hafrashat challah (separating the dough). Ramban asks why the laws of libations were not included in Sefer Vayikra with the rest of Hilchot Korbanot but rather at the conclusion of the story of the sin of the meraglim. (Such a question should always be raised whenever the Torah records a Halacha in the midst of a narrative: what connection exists between the narrative episode and that particular Halacha.) Ramban answers that after God informed the Generation of the Midbar that they would not enter Eretz Yisrael and that the next generation would be the first one privileged to enter, a sense of despair and hopelessness was about to pervade Am Yisrael. They began to doubt as to whether or not they would ever enter Eretz Yisrael. Perhaps God would identify another transgression on the part of the next generation and sentence them to wander in the desert for another forty years. In order to counter this, God shares with Am Yisrael the mitzvah of wine libations and the separation of the dough, which are both introduced with the phrase (Bamidbar 15:2) "כי תבואו אל הארץ", thereby informing them that they will indeed enter the land. The mitzvah served to comfort the people who were experiencing depression.

The same idea can resolve our question. We just stated:

שבכל דור ודור עומדים עלינו לכלותינו.

How many years can we say "השתא הכא לשנה הבאה בארעא דישראל"? How many years can we wait for the fulfillment of

יגיענו למועדים ולרגלים אחרים ונאכל שם מן הזבחים ומן הפסחים

without abandoning our hope that we will see it fulfilled? For this reason, we interpret the parsha of ארמי אבד אבי, which primarily serves as the text for the bringing of the bikkurim, as a reminder of God's promise that one day we will indeed return to Eretz Yisrael, bring bikkurim and fulfill the mitzvah of מקרא ביכורים. Parashat מקרא ביכורים, which is intended as a consolation for the Jewish people, encourages us to remain loyal to God.

This idea will also explain why the baraita is introduced with the words צא ולמד. Where are we going that the Ba'al Haggadah issues the directive צא? Also, what is the connection between צא ולמד and that which precedes it, והיא שעמדה לאבותינו? We find the word צא in Parshat Noach (Bereshit 8:16):

"וידבר א-לוהים אל נח: צא מן התבה אתה ואשתך ובניך ונשי בניך אתך."

Noach was inside the Ark for one hundred and fifty days. One would imagine that as soon as he was convinced that the waters had receded, he would open the door of the Ark for some fresh air. Why would he need a Divine command to do so? Apparently, Noach was reluctant to leave the Ark, since he wondered what purpose there might be in rebuilding and populating a world only to see it destroyed once more. Therefore, God had to instruct him:

צא מן התיבה.

Your responsibility is to rebuild and make every effort to ensure that your world will not only survive but flourish.

Many who survived the hell of the Shoah lost their faith in life and in religion, and abandoned all connection to the Jewish people. (One must take care not to be judgmental – אל תדון את חברך עד שתגיע למקומו). The Ba'al Haggadah might be addressing the same feeling. We recognize that in every generation, someone will arise who intends to destroy the Jewish people. Many will ponder whether the struggle for survival is worth the effort. Says the Ba'al Haggadah: צא ולמד – leave that mindset. Learn, analyze, and understand our history and our Torah. Your efforts will be rewarded.

שפוך חמתך

"שפך חמתך על הגוים אשר לא ידעוך ועל ממלכות אשר בשמך לא קראו כי אכל את יעקב ואת נוהו השמו."

The sentence begins in the plural – בשמך לא קראו – but switches immediately to the singular – כי אכל את יעקב. Why? Rashi, commenting in Parshat Balak on the verse

ויאמר מואב אל זקני מדין

says:

דאף דמעולם שנאו זה את זה מיד עשו שלום ביניהן מיראתן של ישראל.

Nations of the world often quarrel and wage war against each other. But when it comes to conflict with the Jewish people, they all unite to carry out their common objective to destroy this holy nation. Therefore, even though we refer to many different nations, they are one – כי אכל את יעקב – in their hatred of us. The only way that we can counter the unity of purpose of these gentile nations is to show the same unity amongst ourselves. As Rashi comments in Parshat Yitro:

ויחן שם ישראל נגד ההר כאיש אחד בלב אחד.

Perhaps one can suggest that the reason for opening the door during this paragraph is not only to invite Eliyahu ha-Navi, but rather to symbolically invite each and every member of Am Yisrael to join us in the battle against our enemies. This might also explain a puzzling statement in Dayenu –

אילו קרבנו לפני הר סיני ולא נתן לנו את התורה, דיינו.

Had we simply arrived at Har Sinai to experience "ke-ish echad be-lev echad," this indeed, would be dayenu.

בן רשע

It is difficult to describe who this ra-sha is. A simple reading of the text seems to indicate that it is referring to one who has abandoned every facet of Judaism. The phrase ולפי שהוציא עצמו מן הכלל כפר בעיקר is rather harsh, depicting a child who has severed all bonds with his family and heritage. Indeed, the Vilna Gaon, in his commentary on the Haggadah, characterizes the rasha in this fashion and therefore interprets our response that we are not even going to acknowledge his presence:

לי ולא לו: אילו היה שם לא היה נגאל.

Had he been there, he would not have merited redemption. Had we been addressing him directly it would have said אילו היית שם לא נגאלת. The difficulty

with this approach is the following question: Why is the child at the Seder at all? If he feels such strong animosity toward religion and sees no value in religious commitment, why did he make the effort to attend the Seder? I would like to portray a different type of individual, one whom we encounter all too frequently in our time. This is based on a beautiful interpretation of the Rav of a midrash in Parshat Bo. Midrash Rabbah (Shemot 19:2) says:

דבר אחר: זאת חוקת הפסח - זה שאמר הכתוב (תהילים קי"ט: פ): יהי לבי תמים בחוקיך - זה חוקת הפסח וחוקת הפרה, ואין אתה יודע איזה חוקה גדולה מזו ומי גדולה? הפרה שאכלו הפסח צריכין לה.

Commenting on the fact that Korban Pesach is identified as a chok, the midrash states that King David asked God for contentment with His chukim. The chukim he had in mind were the chok of the Parah Adumah and the chok of the Korban Pesach. Several questions emerge. There are many mitzvot identified as chukim. In Parshat Kedoshim (Leviticus 19:19):

את חוקותי תשמרו בהמתך לא תרביע כלאים שדך לא תזרע כלאים ובגד שעטנז לא יעלה עליך.

The phrase (Shemot 13:10) ושמרת את החוקה הזאת according to the Mechilta is a reference to Tefillin. Why then does the Midrash assume that when David says:

יהי לבי תמים בחוקיך

that he specifically refers to Pesach and parah adumah? The Midrash then said that it is difficult to determine which of the two chukim are more significant. Yet a minute later the Midrash says ומי גדולה – which is more significant? If it was so difficult to evaluate the chukim, how did the Midrash suddenly figure it out? Finally, if we are going to claim that one chok is more important, would we not select the korban Pesach, the highlight of the festival, rather than chukat ha-parah, which simply enables the consumption of the korban Pesach? The Rav suggested that these two chukim symbolize two components of avodat ha-Shem. The chukat ha-parah represents humankind's quest for spiritual purity. It focuses exclusively upon human beings and represents the challenge that individuals should learn as much as possible, broaden their horizons, become as learned as their abilities allow. One devotes all of one's assets and resources to the pursuit of this ideal.

Yet there is a second chok chukat ha-Pesach, which symbolizes one's responsibility for the tzibbur, for klal Yisrael. Rav Yosi states in the Mishnah: "אין שוחטים את הפסח על היחיד" – korban Pesach is the symbol of one's identification with the formation of a nation. When we work for the klal, we sacrifice the pursuit

of our own development and devote our energy to the betterment of the klal. Both chukim are important, and initially the Midrash claims:

"אין אתה יודע מי גדולה מזו".

Should one spend most of one's life on self-perfection or advancing the communal agenda? It is this harmony that David prays for when he says יהי לבי תמים בחוקיך.

However, the Midrash concludes that if we must choose one chok over another, we should choose the Parah because אוכלי הפסח צריכים לה. If people do not concentrate upon their own personal religious commitment and development, there will be no klal Yisrael to sacrifice for. A klal Yisrael devoid of personal observance is not truly a klal Yisrael. This is the rasha of our Haggadah.

Let us take as our example a person who is concerned about Am Yisrael. He buys Israel Bonds, visits Israel regularly and donates to the United Jewish Appeal and the Federations. He works for Shaarei Tzedek Hospital or other Jewish social agencies. However, he does not observe Shabbat or kashrut. He does not put on tefillin or observe taharat ha-mishpacha. He is a rasha without rish'ut. His lack of commitment stems not from evil intent but from lack of understanding, not from malice but from disregard. Therefore, he asks:

מה העבודה הזאת לכם?

Why are you so concerned about all these rituals and details? Of course I am attending the Seder, but I cannot understand why we must eat so much matzah. Why can't we just eat without this elaborate explanation?

We answer him: the reason that God redeemed us and made us a nation was so that we might observe the individual mitzvot. We recite the verse בעבור זה. Rashi comments: "בעבור שאקיים מצותיו כגון פסח מצה ומרור" and "עשה ה' לי בצאתי ממצרים". The reason Am Yisrael was redeemed was so that they would become committed to the Torah. If Am Yisrael had adopted your attitude, there would have been no redemption.

Our task, then, is to illuminate the beauty of the mitzvot and to convince him that his service to the Jewish community will be far more meaningful if it is combined with personal observance.

וירא ישראל את היד הגדולה

"וירא ישראל את היד הגדולה... ויאמינו בה' ובמשה עבדו"

B'nai Yisrael confirmed their belief in God after witnessing keriat Yam Suf. This implies that before that, they had not confirmed their faith in God and in Moshe. How could that be possible after everything they witnessed in Egypt? Apparently, there are times when we witness miracles, yet fail to attribute them to God. When Eliyahu confronts the prophets of Baal, he prays to God:

ענני ה' ענני.

Commenting on the double request, the Gemara in Tractate Berachot 6 explains:

הוא התפלל שתרד אש מן השמים, וגם שלא יאמרו מעשה כשפים.

Although one might see fire descend from heaven, one might still fail to recognize its divine origin. The Ramban expresses a similar idea. How is it possible that the Egyptians, who had seen all the plagues in Egypt, were not afraid to pursue Am Yisrael at the Yam Suf? Apparently, not everyone who sees the Hand of God – "ha-yad ha-gedolah" – necessarily reaches the conclusion "va-ya'aminu be-Hashem." For this reason, the Aruch ha-Shulchan, in his Haggada Leil Shimurim, explains why the Egyptians were punished with fifty, two hundred or two hundred and fifty plagues: because they failed to take note of the gilui Shechinah to which they had been exposed in Egypt. Regrettably, some of the Jewish people who have witnessed gilui Shechinah in our generation with the establishment of the State of Israel and the unification of Jerusalem still fail to take note of its religious significance.

בהלל - אודך כי עניתני ותהי לי לישועה

The simple interpretation of אודך כי עניתני is: I will praise God because He has granted my petition. However, Ibn Ezra translates עניתני as if it read עִניתני – Thank you, God, for having made me suffer. How do we understand this? The Beit Halevi suggests that under ordinary circumstances an individual thanks God for having been saved from danger. His joy upon being rescued is not greater than if he had not been placed in a precarious situation to begin with. But during the Song at the Sea, Moshe says: אז ישיר משה. The Midrash comments:

אמר משה באז חטאתי שאמרתי ומאז באתי אל פרעה הרע לעם הזה ובאז אני בא לשיר השיר.

According to the Beit Halevi, Moshe is thanking God that we were the instrument through which the Divine Name was exalted. Because we had been slaves, we can now sing אשירה לה' כי גאה גאה. Therefore, אודך כי עניתני – Thank you, God, for having afflicted me.

One can suggest an alternate explanation. There are generally two ways of learning. There are individuals whose behavior and lifestyle are worthy of emulating. We should always try to identify such role models. Yet sometimes, society is so corrupt that we find no positive role models to emulate. Still, we can learn from evil people how not to behave, and we had that opportunity in Egypt. In Vayikra 18:3, the Torah states:

כמעשה ארץ מצרים אשר ישבתם בה לא תעשו.

Do not emulate the abominable practices of Egypt, where you once lived. By virtue of our experience in Egypt, we learned to appreciate freedom and to be sympathetic to the convert and the less fortunate, such as the widow and the orphan. For the valuable lesson that we internalized during our period of slavery, we thank God:

אודך כי עניתני.

MW01092371